APROPRIAÇÃO CULTURAL

FEMINISMOS PLURAIS
COORDENAÇÃO
DJAMILA **RIBEIRO**

RODNEY WILLIAM

APROPRIAÇÃO CULTURAL

FEMINISMOS PLURAIS

COORDENAÇÃO
DJAMILA **RIBEIRO**

RODNEY WILLIAM

 jandaíra

SÃO PAULO | 2020
3ª REIMPRESSÃO

Copyright © 2019 Rodney William
Todos os direitos reservados à Editora Jandaíra, uma marca da Pólen
Produção Editorial Ldta., e protegidos pela lei 9.610, de 19.2.1998.
É proibida a reprodução total ou parcial sem a expressa anuência da editora.

Este livro foi revisado segundo o Novo Acordo Ortográfico
da Língua Portuguesa.

Direção editorial
Lizandra Magon de Almeida

Produção editorial
Luana Balthazar

Revisão
equipe Editora Jandaíra

Projeto gráfico e diagramação
Daniel Mantovani

Fotos de capa
Paulinho de Jesus

Dados Internacionais de Catalogação na Publicação (CIP)
Angélica Ilacqua CRB-8/7057

William, Rodney

  Apropriação cultural / Rodney William. -- São Paulo : Editora Jandaíra, 2020.

  208 p. (Feminismos Plurais / coordenação de Djamila Ribeiro)

ISBN 978-85-98349-96-1

1. Racismo 2. Cultura 3. Conflito cultural 4. Fusão cultural I. Título II. Ribeiro, Djamila III. Série

19-2124   CDD 305.8

Índices para catálogo sistemático: 1. Apropriação cultural

jandaíra

www.editorajandaira.com.br
atendimento@editorajandaira.com.br
(11) 3062-7909

Para Tia Ciata, Besouro Mangangá e Procópio de Ogum, ícones do samba, da capoeira e do candomblé. E para todos que ainda fazem girar as rodas sagradas da ancestralidade negra.

Axé!

AGRADECIMENTOS

A todos e todas que de alguma forma contribuíram para a construção deste livro. Em especial, à Djamila Ribeiro, pela generosidade, pelas contribuições fundamentais e pela oportunidade de fazer parte de um projeto revolucionário.

A todos os outros autores que me antecedem nesta coleção: Juliana Borges, Joice Berth, Silvio Almeida, Carla Akotirene e Adilson Moreira.

Ao Brenno Tardelli e ao Thiago Sapede, pela leitura crítica e por todas as sugestões.

Muito obrigado, Axé!

SUMÁRIO

APRESENTAÇÃO 13

INTRODUÇÃO 19

À PROCURA DE UM CONCEITO 43

SOBRE APROPRIAÇÃO CULTURAL E RACISMO 67

CAPITALISMO E SOCIEDADE DE CONSUMO 101

PODE OU NÃO PODE 125

    TURBANTES E AFINS 134

    SAMBA E BOSSA NOVA 145

    CAPOEIRA GOSPEL 158

    BOLINHO DE JESUS 166

    SOBRE BRANCOS NO TERREIRO 171

CONSIDERAÇÕES FINAIS 181

NOTAS 189

REFERÊNCIAS BIBLIOGRÁFICAS 199

Quem é que não se lembra
Daquele grito que parecia trovão?!
– É que ontem
soltei meu grito de revolta.
Meu grito de revolta ecoou pelos
vales mais
longínquos da Terra,
Atravessou os mares e os oceanos,
Transpôs os Himalaias de todo o Mundo,
Não respeitou fronteiras
E fez vibrar meu peito…
Meu grito de revolta fez vibrar os peitos
de todos os Homens,
Confraternizou todos os Homens
E transformou a Vida…
… Ah! O meu grito de revolta que
percorreu o
Mundo,
Que não transpôs o Mundo,
O Mundo que sou eu!
Ah! O meu grito de revolta que feneceu lá longe,
Muito longe,
Na minha garganta!

Amílcar Cabral, "Emergência da poesia",
em *Amílcar Cabral: 30 poemas*

APRESENTAÇÃO

FEMINISMOS
PLURAIS

O objetivo da coleção Feminismos Plurais é trazer para o grande público questões importantes referentes aos mais diversos feminismos de forma didática e acessível. Por essa razão, propus a organização – uma vez que sou mestre em Filosofia e feminista – de uma série de livros imprescindíveis quando pensamos em produções intelectuais de grupos historicamente marginalizados: esses grupos como sujeitos políticos.

Escolhemos começar com o feminismo negro para explicitar os principais conceitos e definitivamente romper com a ideia de que não se está discutindo projetos. Ainda é muito comum se dizer que o feminismo negro traz cisões ou separações, quando é justamente o contrário. Ao nomear as opressões de raça, classe e gênero, entende-se a necessidade de não hierarquizar opressões, de não criar, como diz Angela Davis, em *Mulheres negras na construção de uma nova utopia*, "primazia de uma opressão em relação a outras". Pensar em feminismo negro é justamente romper com a cisão criada numa sociedade desigual. Logo, é pensar projetos, novos marcos civilizatórios, para que pensemos um novo modelo de sociedade. Fora isso, é também divulgar a produção intelectual de mulheres negras, colocando-as na condição de sujeitos e seres ativos que, historicamente, vêm fazendo resistência e reexistências.

Entendendo a linguagem como mecanismo de manutenção de poder, um dos objetivos da coleção é o compromisso com uma linguagem didática, atenta a um léxico que dê conta de pensar nossas produções e articulações políticas, de modo que seja acessível, como nos ensinam muitas feministas negras. Isso de forma alguma é ser palatável, pois as produções de feministas negras unem uma preocupação que vincula a sofisticação intelectual com a prática política.

Neste sétimo volume da coleção Feminismos Plurais, o doutor em Ciências Sociais e babalorixá Rodney William trata o tema da apropriação cultural sob a ótica histórico-cultural do colonialismo, relembrando o processo de aculturação e aniquilamento dos costumes pelo qual passaram os povos escravizados. Faz, a partir daí, a conexão com as práticas predatórias dos mercados capitalistas colonizadores atuais, que se valem dos traços culturais de um povo para lucrar, e esvaziam de significado esses símbolos de pertencimento.

Com vendas a um preço acessível, nosso objetivo é contribuir para a disseminação dessas produções. Para além deste título, abordamos também temas como encarceramento, racismo estrutural, branquitude, lesbiandades, mulheres indígenas e caribenhas, transexualidade, afetividade, interseccionalidade, empoderamento, masculinidades.

É importante pontuar que essa coleção é organizada e escrita por mulheres negras e indígenas, e homens negros de regiões diversas do país, mostrando a importância de pautarmos como sujeitos as questões que são essenciais para o rompimento da narrativa dominante e não sermos tão somente capítulos em compêndios que ainda pensam a questão racial como recorte.

Grada Kilomba, em *Plantations Memories: Episodes of Everyday Racism*, diz:

> Esse livro pode ser concebido como um modo de "tornar-se um sujeito" porque nesses escritos eu procuro trazer à tona a realidade do racismo diário contado por mulheres negras baseado em suas subjetividades e próprias percepções. (KILOMBA, 2012, p. 12)

Sem termos a audácia de nos compararmos com o empreendimento de Kilomba, é o que também pretendemos com essa coleção. Aqui estamos falando "em nosso nome".[1]

Djamila Ribeiro

INTRODUÇÃO

> *"Oja oja ni awǫn mejeji."*
> *A banca do mercado tem dois lados.*[2]

Exu Olojá é o dono do mercado. É quem preside todas as trocas, intercâmbios, escambos, transações, negociações, interações e a circulação de bens e produtos. Exu é o princípio dinâmico, a comunicação, o movimento. Senhor da reciprocidade, da sociabilidade e de todas as relações. Mensageiro entre todos os mundos. Exu fala todas as línguas, come tudo que a boca come, bebe tudo que a boca bebe. Ordem e desordem do universo. Exu faz o erro virar acerto e o acerto virar erro. O mais humano dos Orixás vive nas encruzilhadas e mata um pássaro ontem com a pedra que atirou hoje. Exu é memória, é história, é vida. Mas o que tem a ver Exu com o tema da apropriação cultural?

Enquanto princípio dinâmico que permite o estabelecimento de trocas entre os diversos aspectos do mundo, especialmente entre o coletivo e o individual,

Exu institui a reciprocidade como um valor negro-africano. Como bem adverte Sidnei Barreto Nogueira, doutor em semiótica e babalorixá, se a banca do mercado tem dois lados, quem vem pra trocar e nada deixa pratica uma extorsão, um roubo. Nas estruturas de opressão que caracterizaram o colonialismo, a apropriação cultural foi uma estratégia eficiente que continua sendo usada como instrumento de dominação. Na tradição nagô, a lógica da circulação se contrapõe à acumulação.

Iyalorixá do Ilê Axé Opó Afonjá por décadas e uma das maiores mães de santo de todos os tempos, Mãe Stella de Oxóssi escreveu sobre a importância da Troca para a cultura afro-brasileira como sendo uma Lei Universal:

> Uso aqui a palavra Troca com letra maiúscula para demonstrar a importância deste comportamento, que é uma Lei Universal. A terra nos alimenta, mas pede em troca nossos corpos como alimento. A Lei da Troca, como todas as leis que entendemos regular o universo, não está limitada a nenhum setor. (...) Sempre existiu e sempre existirá a troca. E por ser esse um comportamento tão essencial, o elemento material que o representa, nas diferentes épocas, deve ser tratado com cuidado e respeito, pois se sua falta faz falta, seu excesso pode trazer um grande estrago para a caminhada de quem o possui e até mesmo para a de seus descendentes. (2012:87)

Por que, então, começar a reflexão sobre Apropriação Cultural a partir da Troca? Reposicionar a discussão sobre o tema da apropriação se torna uma árdua tarefa após ter sido um assunto recorrente nos últimos anos, principalmente em razão de todas as polêmicas geradas por algumas situações que reverberaram nas redes sociais e na mídia, obrigando especialistas a explicar "o que podia ou não podia", "por que não podia", "por que podia, mas não devia" e assim por diante, como se esse fosse o debate central em torno da questão. Veremos que, ao contrário do que foi divulgado, a discussão sobre o tema é muito mais profunda.

O que é cultura?

Por se tratar de conteúdo da maior importância, vale a pena delimitar um conceito de cultura que também pode ser um fio-condutor no entendimento da apropriação, além de enquadrá-la em contextos mais específicos, nos quais acontecem os casos concretos que nos servirão de exemplo. Ao sintetizar a relação entre crescimento econômico e cultura, o Prof. Kabengele Munanga destaca que o verdadeiro desenvolvimento é aquele que respeita a demanda e as prioridades de um povo. A forma como Munanga define cultura, além de direta e atual, dialoga com pontos importantes dos trânsitos históricos entre África e Brasil. Nas suas palavras:

> Desenvolvimento também é cultura, pois só os seres humanos e as sociedades humanas transformam a natureza, produzem riquezas, inventam ciências e tecnologias que ajudam na transformação da vida em termos de melhoria de saúde, alimentação, transporte, comunicação e instituições que abrigam os nacionalismos cívicos, as formas democráticas e o bem-estar em geral.[3]

Essa noção de cultura como uma especificidade humana fundamental para transformar a natureza reitera a potencialidade de Exu como orixá imprescindível na ordenação do caos. Contam os antigos que Exu Yangi (Iangui) é o primogênito do universo e vivia junto a Olodumare, o deus supremo, como um de seus desdobramentos. Orunmila, senhor de todos os oráculos, queria muito ter um filho na Terra e tanto pediu a Olodumare que lhe foi concedido tornar-se pai de Exu. Olodumare prescreveu o ebó, as oferendas e disse a Orunmila que ao passar pelos portais do Orun impusesse as mãos sobre Yangi. Ao chegar em casa, Orunmila deitou-se com sua esposa. Exu foi parido após doze meses de gestação e recebeu o nome de Elegbara, o senhor da transformação. Nasceu falando, andando e com uma fome tão grande que passou a engolir tudo que encontrou pela frente. Comeu animais, frutos, plantas, árvores e a própria mãe.

Exu teria comido o pai, mas Orunmila ergueu a espada e passou a persegui-lo. Exu fugiu e ao ser alcançado no primeiro nível do Orun foi cortado em 201 pedaços, mas o último se regenerou o continuou a fugir. Foi novamente alcançado no segundo nível e mais uma vez dividido em 201 pedaços e o último se regenerou. E seguiu-se a perseguição pelos nove espaços do Orun. Em todas as vezes que foi dividido, Exu regenerou-se. Já não havia mais para onde fugir, então foi selado um acordo: Exu devolveria tudo que havia comido e em troca manteria a multiplicidade que lhe permitiria estar em todos os lugares ao mesmo tempo, seria o primeiro orixá a ser reverenciado em quaisquer circunstâncias e portador de todas as oferendas.

Ao devolver tudo que havia engolido, Exu demonstra seu potencial de transformar pela boca, pela palavra. O mito revela a capacidade humana de nomear, de atribuir significados. Já dizia Frantz Fanon que falar é assumir uma cultura, é suportar o peso de uma civilização (2008: 33). Exu tem o poder de devolver a ordem e recriar o mundo. Nesse sentido, Exu é a síntese da cultura africana, o orixá que dá sentido e movimento ao universo. Talvez por isso um dos orixás mais fascinantes, que desde a África até a diáspora vem instigando antropólogos a repensar conceitos na construção de um saber decolonial que dialogue com os velhos paradigmas, mas que perceba na encruzilhada, que representa Exu, um símbolo de interseccionalidade e um caminho para entender e explicar nosso tempo[4].

Segundo Clifford Geertz (2008: 03), foi em torno do conceito de cultura que surgiu todo o estudo da antropologia. Ao admitir que há uma preocupação em limitar, especificar, enfocar e conter o conceito, o autor tenta reduzi-lo a uma dimensão justa, que assegure a sua importância continuada em vez de debilitá-lo. Para Geertz, um conceito de cultura mais limitado, mais especializado, seria teoricamente mais poderoso. Nas suas palavras:

> O conceito de cultura que eu defendo (...) é essencialmente semiótico. Acreditando, como Max Weber, que o homem é um animal amarrado a teias de significados que ele mesmo teceu, assumo a cultura como sendo essas teias e suas análises; portanto, não como uma ciência experimental em busca de leis, mas como uma ciência interpretativa, à procura do significado. (2008: 04)

Essa noção de cultura como uma teia de significados aproxima-se do conceito nagô revelado pelo mito de Exu e parece essencial para a compreensão da apropriação cultural, uma vez que está intrinsicamente ligada a um grande aumento no interesse pelo papel das formas simbólicas na vida humana. A definição de Geertz é oportuna porque procura manter a análise dessas formas simbólicas tão estreitamente ligadas quanto possível aos acontecimentos sociais e ocasiões concretas. Como diz o próprio autor:

> Olhar as dimensões simbólicas da ação social – arte, religião, ideologia, ciência, lei, moralidade, senso comum – não é afastar-se dos dilemas existenciais da vida em favor de algum domínio empírico de formas não-emocionalizadas; é mergulhar no meio delas. A vocação essencial da antropologia interpretativa não é responder às nossas questões mais profundas, mas colocar à nossa disposição as respostas que outros deram – apascentando outros carneiros em outros vales – e assim incluí-las no registro de consultas sobre o que o homem falou. (2008:21).

Ao relembrar que o desenvolvimento do continente africano foi historicamente prejudicado por fatores como o tráfico de escravizados, a colonização e o neocolonialismo, Kabengele Munanga destaca que no contexto da globalização capitalista neoliberal, mecanismos bastante sofisticados ajudaram a manter até hoje a dominação. Contudo, o conceito de cultura que pra ele sobressai até coaduna com a definição de Geertz, mas vai além ao relacionar-se com a preservação da natureza numa alusão evidente aos valores ancestrais africanos:

> A cultura não é somente música, dança, artes, religião, cinema, literatura. A ciência, a tecnologia e a educação como veículo de transmissão do conhecimento também são categorias de cultura. Diz-se que os países

que investiram maciçamente em educação de qualidade são os mais desenvolvidos hoje. Mas o desenvolvimento equilibrado é aquele que não degrada a natureza e não destrói a cultura de um povo, isto é, a sua visão do mundo e do universo, as suas religiões, a sua história e as suas tradições, embora tais tenham dinâmica própria.[5]

Somando a perspectiva da antropologia interpretativa com as noções de Kabengele Munanga e Abdias Nascimento, vamos à procura do conceito de apropriação cultural, estabelecendo a cultura como um conjunto de características humanas que não são inatas e abarcam muito mais do que aspectos visíveis, concretos. O jeito de andar, falar e pensar; de se vestir, se portar e sentir; a fé, a visão de mundo, as relações; as criações, as instituições e os valores de um grupo; a arte e o saber. Em síntese, cultura pode ser compreendida sob vários ângulos: ideias, crenças, valores, normas, atitudes, padrões, abstrações, instituições, técnicas etc. Tudo isso, inserido na cultura de um povo, possui significados e história.

A exemplo de Exu, ao nomear as coisas, os seres, os hábitos, os sentimentos, as tradições e crenças, um povo atribui valores e juízos que constituem um sistema de ideias bem próprio e pode ser entendido como uma resposta humana que ajuda a organizar a vida em sociedade. Essas respostas formam os diversos contextos culturais. Na assertiva de Munanga:

> Todos os seres humanos ou sociedades humanas produzem culturas. A cultura é um fenômeno universal porque não há cultura sem sociedade e não há sociedade sem cultura. No entanto, as culturas são diferentes como criação do ser humano no encontro com o meio ambiente, com a história, com as condições sociais e psicológicas.[6]

A cultura determina o modo como nascemos, o que comemos, como falamos e como nos movemos. Quando Geertz sugere que a cultura deve ser vista como um conjunto de mecanismos de controle para governar o comportamento, está se referindo a tudo que é usado para impor um significado à experiência, como os símbolos recorrentes em uma sociedade e transmitidos a seus membros e que permanecem em circulação constante.

Nesse mesmo sentido, para Lévi-Strauss,[7] a cultura é uma reunião de sistemas simbólicos, que incluem a linguagem, as regras matrimoniais, as relações econômicas, a arte, a ciência, a religião. Seria a capacidade simbólica de atribuir significados por meio dos modos de pensar, sentir e agir. Em síntese, de acordo com Lévi-Strauss, qualquer sociedade ou grupo social cria estratégias para interiorizar modelos culturais em seus integrantes. Isso assegura a manutenção de seus valores e crenças e ajuda a conservar sua autoestima.

Apropriação x Aculturação

Sabemos, porém, que culturas totalmente isoladas são cada vez mais raras. Num contexto globalizado, com meios de comunicação bem difundidos, as trocas de informações e ideias são inevitáveis. Toda cultura é dinâmica e não está livre de conflitos, questionamentos, dúvidas, divergências ou embates, que nem sempre se diluem ou se acomodam de maneira simples, requerendo soluções por vezes sectárias que resultam em demandas nunca antes enfrentadas. É o caso da apropriação cultural.

Comecemos pela relação entre cultura material e imaterial, ou seja, de que modo bens tangíveis, como instrumentos, artefatos e outras criações humanas dialogam com elementos intangíveis, como crenças, costumes, saberes, habilidades, regras ou tradições. Ao considerar que a cultura imaterial inclui o próprio comportamento, tanto objetivo quanto subjetivo, percebe-se que, na maioria das vezes, se agrega perfeitamente à cultura material. Cerimônias religiosas ou casamentos, por exemplo, desvelam a interação entre as duas concepções.

Não se chega a um conceito satisfatório e pleno de apropriação cultural sem uma análise desses componentes da cultura. Conhecimentos, crenças, valores, normas, símbolos e seus respectivos significados são fundamentais para que se responda, por exemplo, quem pode ou não usar um turbante e em quais circunstâncias. São elementos que todas as culturas, simples ou complexas, possuem. São transmitidos e englobam inúmeros aspectos que se referem à organização social, à estrutura de parentesco, à religião, aos diversos costumes ou às técnicas de trabalho.

Crenças e valores inscrevem-se entre os elementos que orientam e estimulam o comportamento humano, além de determinar o grau de importância de cada coisa para o grupo social. Juntem-se a isso as normas, ou seja, as regras que indicam o modo como os indivíduos devem agir e chegaremos, mais uma vez, a um conjunto de ideias e convenções que estabelecem condutas que se repetem com menor ou maior frequência.

Considerando a necessidade humana de nomear, inferimos que as coisas não são por elas, mas pelos significados que lhes são atribuídos, da mesma forma que Exu, ao engolir e regurgitar tudo que havia no mundo, emprestou sentido a toda existência. Sendo assim, falar de cultura é falar do universo do simbólico, no qual bens materiais e imateriais adquirem significados específicos que nos permitem, por exemplo, transmitir conhecimentos e aprendizados acumulados através das gerações, preservando os valores fundamentais para a manutenção das tradições de um povo. Devidamente partilhados, os significados de um símbolo expressam esses valores e tornam-se referências indispensáveis na construção das identidades.

A noção de padrão cultural elaborada por Herskovits (1963: 231) talvez nos ajude a entender melhor:

> Padrões culturais são os contornos adquiridos pelos elementos de uma cultura, as coincidências dos padrões individuais de conduta, manifestos pelos membros de uma sociedade, que dão ao modo de vida essa coerência, continuidade e forma diferenciada.

Como nenhuma sociedade é absolutamente homogênea, os padrões também variam em razão de diferentes fatores, como gênero, faixa etária, religião e etnicidades. Por vezes, uma sociedade, uma nação, é composta por diferentes grupos culturais. Seus membros, no entanto, agem de acordo com as normas do grupo e expressam seus padrões de comportamento e seus costumes. Em outras palavras, o comportamento do indivíduo é influenciado pelos padrões da cultura em que vive. Um país continental como o Brasil, com uma diversidade racial, religiosa e mesmo climática tão expressiva, também produz uma infinidade de padrões culturais que dialogam, convergem, mas também contrastam.

Cultura é o modo de vida de um povo e se manifesta em suas formas de agir e em tudo que produz. É dinâmica, contínua e se modifica constantemente em razão, inclusive, dos contatos com outros grupos ou por conta de suas próprias reinvenções ou ressignificações. A cultura também se transforma e entre as possibilidades mais comuns de alteração estão os empréstimos de elementos culturais de outros grupos, que costumam ser conservados ou adaptados por meio de processos de integração, como intercâmbio, assimilação, transculturação e sincretismo. Tudo isso pode ser sintetizado no conceito de aculturação, que não se deve confundir com apropriação cultural. No intercâmbio, por exemplo, membros de culturas distintas dividem traços culturais sem a presença crucial da dominação.

Aculturação consiste na fusão de duas ou mais culturas diferentes a partir de um contato permanente que gera mudanças em seus padrões culturais. Embora seja uma espécie de troca recíproca, por vezes um grupo oferece mais do que recebe. Esse intercâmbio de elementos culturais é resultado da proximidade entre sociedades diferentes que, a partir de processos de interação, fundem-se e acabam dando origem a uma nova cultura. O exemplo fornecido por Lélia Gonzalez ao analisar a influência de línguas africanas em idiomas como inglês, espanhol e português, sobretudo as modificações, inserções e transformações que sofreram ao serem falados pelos escravizados, ilustra bem a questão. Nas palavras da autora:

> Aquilo que chamo de "pretoguês" e que nada mais é do que marca de africanização do português falado no Brasil (...), é facilmente constatável sobretudo no espanhol da região caribenha. O caráter tonal e rítmico das línguas africanas trazidas para o Novo Mundo, além da ausência de certas consoantes (como o l ou o r, por exemplo), apontam para um aspecto pouco explorado da influência negra na formação histórico-cultural do continente como um todo (e isto sem falar nos dialetos "crioulos" do Caribe).[8]

Por meio da assimilação, grupos que dividem um mesmo território, apesar de distintos em sua origem, atingem o que se pode chamar de solidariedade cultural. Trata-se, por exemplo, da fusão de subculturas ou do contato entre culturas rurais e urbanas. A aculturação pressupõe uma fusão completa de grupos totalmente diferentes. Esse é um dos aspectos que a distingue da apropriação cultural, especialmente porque um dos grupos ou ambos são extintos ou persistem de forma equilibrada de acordo com a dinâmica da sociedade. Conforme explica Herskovits:

> O termo aculturação não implica, de modo algum, que as culturas que entram em contato se devam distinguir uma da outra como "superior" ou "mais avançada", ou como tendo um maior "conteúdo de civilização", ou por diferir em qualquer outra forma qualitativa.

A formação social do Brasil é marcada por processos de aculturação nos quais muitas vezes se fundiram elementos culturais europeus, indígenas e africanos. No campo religioso, por exemplo, o sincretismo deu origem a uma religião genuinamente brasileira, a umbanda, bem como influenciou o candomblé e outros cultos afro, o espiritismo e o próprio catolicismo em sua vertente devocional e popular. Houve também trocas com outros grupos étnicos, sobretudo os imigrantes, que trouxeram seus costumes e adotaram tantos outros já arraigados na cultura nacional. Ao analisar o sincretismo afro-religioso, Josildeth Gomes Consorte fornece um bom exemplo desse processo de aculturação:

> A associação de crenças e práticas africanas e católicas, elaborada durante a escravidão, assumiu um caráter tão solidário que se tornou quase impossível pensar nos cultos de matriz africana sem considera-la; tornou-se parte da sua história e, como tal, inapelavelmente ligada ao processo de inserção do negro na sociedade brasileira, à construção da sua identidade. (2004: 278)

Todas as sociedades podem passar por processos de aculturação e alterar de alguma maneira sua cultura. Trata-se de uma forma específica de mudança na qual determinado grupo impõe a outros ajustes na configuração de seus padrões culturais. Note-se que o grupo dominado até pode sofrer grandes modificações em seu modo de vida, mas sempre preserva alguns traços de sua identidade. Na dinâmica cultural, existem processos em que os elementos se difundem de uma sociedade para outra, mas nem sempre são aceitos de imediato. Na verdade, de uma cultura para outra, tudo que é tomado como empréstimo acaba sendo reinterpretado e pode sofrer reformulações quanto à forma, utilização ou sentido.

Apropriação Cultural

Em boa parte dos aspectos da aculturação, a dominação está presente, seja pelo componente social, seja pelo componente histórico. Não há apropriação cultural quando um grupo excluído ou marginalizado é forçado a assimilar traços da cultura daqueles que o dominam para sobreviver, como ocorreu durante todo processo de colonização, em especial na escravidão. Apropriação cultural é exatamente o oposto. Como já demonstrou Abdias Nascimento (2018), a partir da violência da escravidão, todas as heranças culturais negras foram esvaziadas. O colonizador se apropriou da cultura do escravizado inclusive como uma forma de aniquila-lo. Portanto, definir apropriação cultural vai muito além de formular uma lista do que pode ou não ser usado.

No caso dos afro-brasileiros, é bom que se mencionem as relações fundamentais entre cultura e identidade, uma vez que o conhecimento do seu processo de construção nos ajuda a compreender melhor essas populações. Assim como a cultura, a identidade também é dinâmica e pressupõe que o pertencimento se dá em contraposição ao outro. Dessa forma, o indivíduo na sociedade desenvolve uma série de singularidades que o definem como tal à medida que se identifica com os demais indivíduos que compõem o seu grupo específico. Por meio da cultura, desvenda-se o processo de identidade, pois aqueles que se reconhecem entre si demarcam de imediato suas diferenças com os outros. Como explica Kabengele Munanga:

> A identidade passa pela cor da pele, pela cultura, ou pela produção cultural do negro; passa pela contribuição histórica do negro na sociedade brasileira, na construção da economia do país com seu sangue; passa pela recuperação de sua história africana, de sua visão de mundo, de sua religião.[9]

Nem todos percebem que por trás das produções culturais do povo negro no Brasil existe um sistema perfeitamente estruturado. É isso que não permite a diluição de suas criações. Há, no entanto, uma dificuldade em admitir que a cultura brasileira é profundamente marcada por esses saberes. A tentativa de apagar essas marcas consiste em um traço muito evidente do racismo e reitera as estratégias de luta do povo negro que persistem desde o período da escravidão. Trata-se de uma cultura de resistência – na qual o componente religioso tem um peso fundamental – por meio da qual foi possível suportar e sobreviver ao sofrimento da escravidão. Como declarou o Prof. Agenor Miranda Rocha, um dos mais eminentes representantes do candomblé, "a dignidade do negro sempre esteve apoiada na sua cultura, e principalmente na sua religião". (Luz, 2002: 204)

Se pensarmos em alguns adornos, como turbantes, dreads, cocares, pinturas corporais, e na maneira como estão inseridos na realidade brasileira, veremos que não só colaboram para construir e manter um imaginário de mestiçagem ou miscigenação que alimenta, por exemplo, o mito da democracia racial, como se tornam símbolos de resistência para determinados grupos. Para além dos elementos de aculturação, como sincretismos e assimilações culturais, a interação nem sempre se dá de maneira tranquila e acaba gerando conflitos que remetem à questão do apagamento ou do esvaziamento de significados, abrindo a discussão sobre os limites de uso e gerando todas as controvérsias que desembocam na apropriação cultural.

Junte-se a tudo isso as especificidades do capitalismo e da sociedade de consumo e não será difícil concluir que a manutenção da dominação e do lucro como demandas prioritárias revela como as questões econômicas, num mercado cada vez mais desumano, direcionam o mundo moderno. Na esteira da indústria da moda, por exemplo, surge uma infinidade de denúncias de apropriação cultural. A falta de comprometimento ético com a história de alguns grupos impede que se conheçam minimamente alguns traços culturais e de identidade que deveriam ser respeitados. Lembrando mais uma vez Abdias Nascimento, deixar de olhar para as coletividades, além de impossibilitar a convivência e o diálogo na diversidade, constrói uma noção de universalidade que acaba condenando grupos marginalizados a um extermínio disfarçado de integração.

Obviamente, em certas situações, o conceito de apropriação cultural pode variar de acordo com os contextos e com o tempo. É preciso considerar que a questão racial, por exemplo, não é compreendida da mesma forma em todos os países. Quando se observa a maneira como o racismo já operou e ainda opera nos Estados Unidos e no Brasil, tem-se um quadro muito distinto que certamente não possibilitará as mesmas interpretações para o uso de alguns elementos de determinado grupo cultural. O que seria considerado ofensivo em um país pode ser totalmente normal em outro. Por vezes, relações raciais calcadas na segmentação das culturas fazem com que alguns processos de aculturação sejam compreendidos como apropriação. Por outro lado, na maioria dos casos, os meios de comunicação, a serviço das estratégias capitalistas, juntam tudo naquele conceito de caldeirão cultural, cujos efeitos se fazem sentir nas ideias de cultura de massa bastante recorrentes nos períodos da globalização.

Aliás, na seara da globalização, a indústria cultural ganhou força e foi de certa maneira apagando as diferenças culturais, criando produtos para responder às necessidades de uma sociedade de consumo. Todas as ferramentas da tecnologia, a internet, as redes sociais, facilitaram o acesso aos hábitos, características e modos de vida de povos diversos com a mesma intensidade com que despertaram desejos. Um simples clique e todos os elementos tangíveis e intangíveis de uma cultura estão à disposição com uma riqueza de detalhes que permite entrever muito mais que cores e formas.

É bom que se diga, porém, que desvendar outra cultura não outorga a ninguém sua propriedade. Geertz já alertava aos antropólogos que somente um nativo faz a interpretação de sua cultura em primeira mão. No mesmo sentido, o simples fato de conhecer a cultura do outro, ainda que de forma profunda, não nos converte em um integrante. Talvez no âmbito religioso exista um pouco mais de flexibilidade. Mesmo assim, os elementos estruturais de uma crença não podem ser modificados para se adequar a padrões culturais de outrem, como veremos ao analisar a presença de brancos nos terreiros de candomblé. Vale lembrar que embora seja resultado de contatos e interações sociais, a cultura sempre busca reafirmar a identidade de seu grupo.

Cultura implica pertencimento, logo não pode ser considerada domínio de todos. Porém, na lógica do colonizador, uma vez expropriado de seu território, um povo perderia também a propriedade de sua cultura. O capitalismo representa a continuidade dessa lógica e muitas vezes se apropria dos elementos de uma cultura, produzindo-os em larga escala, comercializando e obtendo lucros extraordinários sem reverter absolutamente nada aos integrantes dessa cultura, como bem mostram os inúmeros exemplos da indústria da moda. Voltando à lógica de Exu Olojá e considerando que a banca do mercado tem dois lados, trata-se de um caso de roubo, de apropriação.

Na mesma medida em que crescem os debates sobre apropriação cultural, aumenta a demanda por representatividade. Grupos estigmatizados, sistematicamente excluídos, vêm reivindicando participação em várias instâncias da vida social. Não parece justo, por exemplo, que a população negra não possa participar do carnaval de uma maneira mais efetiva depois de ter criado e lutado pra preservar as escolas de samba e o próprio samba, que povos indígenas sejam catequizados em pleno século XXI, que as rendas produzidas por artesãs do interior do Ceará sejam compradas por valores irrisórios e, inseridas no mercado da alta costura, vendidas a preço de ouro.

O baixo índice de representatividade contrasta com a crescente apropriação, muitas vezes perpetrada por indústrias que utilizam as técnicas ou a estética desses grupos, mas não repassam nenhum tipo de incentivo nem oferecem oportunidades de trabalho. Além disso, dificilmente se engajam na luta contra as desigualdades sociais ou antirracista, nem criam ações para inclusão de minorias.

O corpo de um negro ou de um índio está impregnado de cultura e memória, traz as marcas de dor e sofrimento que a colonização impingiu. Essas peles não são fantasias. Portanto, apropriação cultural não é homenagem, é violência simbólica exercida de forma sutil ou explícita. Ninguém tem o direito de usar um cocar e pintar a cara enquanto apoia o genocídio indígena. Um branco não pode cantar samba e continuar destilando racismo. Um homem não pode se vestir de mulher e manter um comportamento misógino ou homofóbico.

No livro *Em Defesa da Revolução Africana*, há um capítulo que trata especificamente de racismo e cultura, no qual Frantz Fanon de imediato refuta a ideia de grupos humanos sem cultura, bem como a existência de culturas hierarquizadas e a noção de relatividade cultural. Para Fanon (1980: 35):

> Podemos dizer que existem certas constelações de instituições, vividas por homens determinados, no quadro de áreas geográficas precisas que num dado momento sofreram o assalto direto e brutal de esquemas culturais diferentes. O desenvolvimento técnico, geralmente elevado, do grupo social assim aparecido autoriza-o a instalar uma dominação organizada. O empreendimento da desculturação apresenta-se como o negativo de um trabalho, mais gigantesco, de escravização econômica e mesmo biológica.

O respeito pela cultura de grupos historicamente subjugados é primordial. As estratégias de dominação são inerentes à apropriação cultural e visam apagar a potência desses grupos, esvaziando de significados todas as suas produções, como forma de promover seu aniquilamento. Portanto, escamotear os traços negros e indígenas das tradições culturais brasileiras é o mesmo que roubar a humanidade desses povos e impulsionar seu genocídio. É uma violência, um crime.

À PROCURA DE UM CONCEITO

> *"Bi ilé koba kan ilé, ki ijo àleran."*
> *As casas afastadas não pegam fogo uma nas outras.*[10]

A tradição nagô ensina que quem muito se mistura acaba se perdendo. Isso não quer dizer que culturas diferentes não devem interagir, mas é preciso considerar que os diferentes povos humanos constituíram historicamente suas especificidades culturais e identitárias. Preservá-las, mais do que um direito, é condição para a manutenção de sua existência, e requer, em alguns casos, muita resistência, muita luta. Populações submetidas à escravidão e ao genocídio tiveram que elaborar uma série de mecanismos de sobrevivência. Os negros escravizados no Brasil, por exemplo, preservaram e recriaram nos terreiros de candomblé hábitos e traços culturais africanos, bem como seus valores e visão de mundo.

Com propriedade, Edison Carneiro percebia nas religiões de matriz africana uma força criadora que emprestava a seus adeptos coragem e confiança, fazendo com que se concentrassem na solução dos problemas desta vida e não na paz do outro mundo. Em suas conversas com Ruth Landes[11], afirmava: "não sei onde estariam os negros sem o candomblé". Disso decorre a necessidade de preservação dos elementos culturais como forma de garantir a sobrevivência de um povo. Na explicação de Kabengele Munanga:

> Apesar da atrocidade das condições históricas em que foram deportados, atrocidades que provocaram uma ruptura brutal com as suas raízes, eles não perderam totalmente as lembranças e recordações das culturas ancestrais, graças à chamada memória coletiva – o que os ajudou a recriar essas culturas na nova terra de acordo com as suas necessidades vitais. A recriação não foi total, pois as condições assimétricas de vida num contexto colonial e escravista não podiam permiti-la.[12]

Poderíamos, aqui, partir de um conceito elementar da antropologia e dizer que apropriação cultural ocorre quando uma pessoa pertencente a determinado grupo social dominante ou ao próprio grupo utiliza ou adota hábitos, vestuários, objetos ou comportamentos específicos de outra cultura. Uma definição correta, mas que não presume a proporção dos debates em torno do tema, especialmente no que se refere à ideia de dominação. Por esse motivo, muitos acabam interpretando a apropriação cultural como um dos efeitos dos processos de aculturação, que de fato consiste na fusão de elementos culturais distintos, mas se dá muito mais quando uma cultura minoritária assimila os elementos da cultura dominante em razão de trocas contínuas ou para sua sobrevivência.

O conceito de apropriação cultural que estamos buscando começa com as reflexões de Abdias Nascimento sobre o genocídio do negro brasileiro. Não se trata simplesmente de reconhecê-la como uma prática negativa, que faz uso dos elementos de uma cultura sem compreendê-la ou, muitas vezes, desrespeitando seus significados simbólicos e históricos (e é justamente isso que a diferencia do intercâmbio cultural). Embora ainda não seja considerada um crime do ponto de vista legal ou jurídico, a apropriação cultural tem implicações éticas que passam por questões diretamente relacionadas ao racismo e à desumanização de grupos perseguidos e discriminados.

Qualquer elemento de apropriação só é aceito e assimilado pela cultura dominante depois de ser submetido a um processo de depuração, de esvaziamento de significados e apagamento dos traços de sua cultura de origem. Abdias, em *O genocídio do negro brasileiro*, publicado em 1978, reflete de forma profunda sobre o significado da palavra genocídio. Segundo ele, não se trata apenas da morte física: genocídio é todo apagamento cultural de um povo. "Quando se mata uma cultura, mata-se um povo", argumenta.

Quando se toma um conceito de apropriação cultural com base nesse viés, percebe-se que está vinculado à mesma estrutura que sustenta o racismo e, a rigor, vem sendo tratado com o mesmo grau de desqualificação com que sempre se consideram essas questões, como brincadeiras ou mal-entendidos, isto é, como questões menores que não merecem ser avaliadas no escopo das ações que ferem a dignidade de um povo ou grupo social.

Ao analisar o embranquecimento da cultura como estratégia do genocídio, a perseguição à persistência da cultura africana no Brasil, as ideias de sincretismo e folclorização, a bastardização da cultura afro-brasileira, a estética da brancura nos artistas negros aculturados, entre outros temas, Abdias Nascimento indica que apropriação cultural está longe de ser uma questão banal, uma vez que também pode estar a serviço dos mecanismos de opressão e das políticas de morte. Vale lembrar, por exemplo, que samba, capoeira e candomblé já foram proibidos e perseguidos ostensivamente.

Apropriação cultural é um mecanismo de opressão por meio do qual um grupo dominante se apodera de uma cultura inferiorizada, esvaziando de significados suas produções, costumes, tradições e demais elementos. Tomando como exemplo a sociedade de consumo, onde tudo se transforma em produto, e mais especificamente a realidade brasileira, percebe-se que há muito tempo se usa uma estratégia para tornar palatável a cultura afro: apagar os traços negros, a origem ou qualquer outro elemento passível de rejeição, sobretudo aqueles que de alguma forma remetem à herança religiosa.

Tornar os componentes culturais negros ou indígenas palatáveis é uma estratégia do racismo, e isso reitera que o debate sobre apropriação é necessário e deve ser conduzido com seriedade. Mudar sentidos, depurar, esvaziar, é a "lógica" da apropriação cultural. Ocorre que essa lógica só se aplica às culturas negra, indígena e outras que sejam de algum modo inferiorizadas. Também faz parte de uma estrutura que tem como base o consumismo, que, além de criar necessidades e significados simbólicos, por vezes alia-se ao racismo e, nesse caso, faz dele um componente fundamental.

Sempre que se confunde apropriação com intercâmbio cultural desconsidera-se que no primeiro caso não existe reciprocidade, ou seja, não há uma troca de experiências, não há compartilhamento entre os grupos. O intercâmbio, por sua vez, não pressupõe a manutenção de um dominante. Além de ser marcada pela submissão de uma cultura sistematicamente oprimida, a apropriação desvela as estratégias sofisticadas do racismo e se impõe como um entrave para a afirmação de segmentos minoritários. A questão é grave, embora muitos ainda avaliem como uma banalidade. A utilização de artefatos rituais indígenas ou de elementos sagrados do candomblé como adereços de moda ou simples peças decorativas, desrespeitando todas as significações e o peso histórico e simbólico que possuem, deve ser considerada uma ofensa.

Tomar manifestações culturais como a música, a dança, os trajes típicos, as expressões linguísticas, a arte, a culinária, os acessórios e desviá-los de sua origem e de seu contexto social e histórico é mais do que um simples projeto de apropriação. Ao adotar significações adulteradas, que não revelam sua essência e extinguem os traços de sua cultura, o próprio grupo étnico se põe em risco de desaparecimento. Contudo, o grande problema da apropriação cultural não se resume às alterações e desvirtuamento de significados, está justamente no fato de concorrer para o genocídio simbólico de um povo.

Thomas Conti[13] realizou uma investigação genealógica sobre o conceito de apropriação cultural e revelou que seu uso é muito recente. De acordo com seus levantamentos, só no início da década de 1980 as referências começaram a aparecer e foram ganhando força no decorrer desses anos. Conti fez um levantamento bastante detalhado e utilizou ferramentas modernas, como o Google, para, através da quantidade de buscas, mensurar o interesse pelo assunto. Além disso, demonstrou os caminhos que o conceito percorreu, desde os anos 1960, com as primeiras menções de Pierre Bourdieu, até ser aplicado para analisar os casos atuais que acaloraram os debates.

Segundo Conti, só em 1990 é que Harmut Lutz[14] organiza um conceito de apropriação cultural que passa a contemplar as discussões pontuais que estavam acontecendo no Canadá a respeito da forma como a cultura dos nativos da região era sistematicamente usurpada pela população de origem europeia. Esses debates muito se assemelham aos travados recentemente no Brasil e em outros países. Ao estipular as especificidades do modelo de apropriação cultural que pretendia analisar, Lutz fornece uma definição que se enquadra bem no conceito que estamos buscando e pode dialogar com as indicações de Abdias Nascimento. Nas suas palavras:

> Várias formas de intercâmbio cultural, incluindo tipos de apropriação cultural, continuam a acontecer sempre que diferentes culturas se encontram e interagem entre si. Se não fosse assim, este artigo não poderia ter sido escrito em inglês, nem o povo das planícies poderia jamais ter montado em cavalos, nem minha família e eu poderíamos ter em qualquer momento comido uma batata, nem autores nativos poderiam ter escolhido o inglês como meio de expressão. Esse intercâmbio de ideias e práticas, no entanto, não é uma questão que está em discussão aqui. O que é um ponto de discussão aqui é o tipo de apropriação que acontece dentro de uma estrutura colonial, onde uma cultura é dominante política e economicamente sobre a outra e a governa e explora. (1990:168)

À época da primeira edição do livro *O genocídio do negro brasileiro*, o termo apropriação ainda não era usado para distinguir a ideia de dominação inerente ao conceito. A obra de Abdias Nascimento, obviamente, não carece de revisão. Segue atual e contundente. Entretanto, é importante ressaltar que, em sua análise, assimilação, sincretismo e outros aspectos da aculturação, além de servirem ao mito da democracia racial, são usados no mesmo sentido que queremos dar ao conceito de apropriação cultural, que é justamente esse que vem sendo debatido ultimamente, mas só foi formatado nos anos 1990. De acordo com Abdias Nascimento (1978, p. 93), assimilação, aculturação, miscigenação, que ele mesmo classifica como "apelidos bastardos", são palavras que se configuram como uma senha desse imperialismo da brancura e do capitalismo que lhe é inerente. Esclarece ainda que embaixo da superfície teórica permanece intocada a crença da inferioridade do africano e de seus descendentes.

Essa noção de colonização, já introduzida por Frantz Fanon e, no caso brasileiro, muito bem aprofundada por Abdias Nascimento, é a base do conceito elaborado mais recentemente e dialoga com a noção de violência simbólica, latente nos casos concretos de apropriação. Sobre o episódio canadense, Lutz continua e ressalta:

> Mais especificamente, é o tipo de apropriação na qual aspectos da mesma cultura colonizada são apropriados pela cultura dominante, enquanto ao mesmo tempo todos os traços da sua origem são negligenciados ou desloca-

> dos. É um tipo de apropriação que é seletiva, que desconsidera a origem ou autoria, e que é a-histórica na medida em que exclui do seu discurso o contexto histórico, especialmente, aqui, a história das relações entre nativos e não-nativos. (1990:168)

Conforme registra Conti, ao ser inserido nas discussões do pós-colonialismo, o conceito de apropriação cultural atinge seu significado contemporâneo, inclusive como forma de defender o direito de propriedade intelectual de populações nativas sobre suas produções culturais e demais elementos. Dessa forma, o tema deixa a esfera da antropologia e passa a ser analisado também do ponto de vista jurídico, trazendo para o debate a questão da ética e introduzindo concepções interdisciplinares.

Voltando ao caso brasileiro, talvez não se encontrem no mundo exemplos tão contundentes do *modus operandi* da apropriação cultural. Seja com a população indígena, seja com a população negra, as estratégias de dominação relacionadas aos processos de aculturação foram ainda mais eficientes por se associarem ao mito da democracia racial e servirem a um modelo de opressão que exclui e mata, mas transmite a ideia de convivência pacífica e harmoniosa, de igualdade de condições e direitos, de pleno acolhimento das práticas tradicionais de negros e indígenas no caldeirão cultural da miscigenação e dos múltiplos sincretismos que caracterizam a brasilidade. Em Gilberto Freyre e Jorge Amado todos os nossos conflitos se resolvem, mas Kabengele Munanga sentencia que:

> Nesse sentido, samba, feijoada, capoeira, candomblé, congado e diversos estilos musicais, inventados pelos negros nas condições assimétricas do Brasil colonial, são culturas negras manipuladas pelo discurso da ideologia dominante por meio dos conceitos de miscigenação e mestiçagem para escamotear as desigualdades raciais. Não somos racistas porque o samba, a feijoada, o candomblé, o maculelê, a capoeira etc. já são "nossos". Entretanto, o conhecimento de onde ficam os produtores dessas culturas na sociedade brasileira é resolvido pelo mito da democracia racial. Assim, as situações de subalternidade, subserviência, invisibilidade social dos negros em todos os setores da vida nacional são resolvidos pelo binômio socioeconômico.[15]

Numa perspectiva prática, se a apropriação cultural decorre da exploração de elementos de uma cultura por indivíduos ou grupos que efetivamente não pertencem a essa cultura, percebemos no caso brasileiro que essa ideia do "nosso", especialmente no que se refere às criações do povo negro, dificulta ainda mais o debate.

Pensar no uso indevido de trajes e acessórios, como na polêmica dos turbantes; na expropriação de expressões artísticas e tradições, como no caso do samba e da capoeira; e também na utilização de símbolos sagrados e religiosos totalmente esvaziados de sentido e dissociados de sua origem, como se percebe na comercialização de elementos do candomblé para fins decorativos, é o mote de toda essa discussão, mas, como se vê, remete a questões bem mais profundas, totalmente ligadas ao sistema de dominação que fazem do racismo no Brasil um crime perfeito.

Não se deve perder de vista a estrutura que leva pessoas a agir de maneira desrespeitosa, principalmente com grupos historicamente marginalizados que preservaram a duras penas componentes indispensáveis de sua fé e identidade. Não se pode simplesmente desconsiderar os significados reais dos elementos de uma cultura e submeter seus membros, que já sofrem uma opressão sistemática, a mais processos de expropriação.

Sendo assim, todo indivíduo deve assumir sua responsabilidade e não reproduzir práticas de apropriação cultural, mesmo as mais costumeiras e aparentemente inocentes, sobretudo para não reforçar estereótipos e estigmas, nem revigorar lugares sociais aviltantes. Ao se descontextualizar determinados elementos culturais, ressaltando aspectos interessantes para comercialização ou entretenimento, por exemplo, esquece-se de toda perseguição e de toda luta empreendida para preservar esse patrimônio.

Apropriação cultural não é uma adoção inofensiva de alguns elementos específicos de uma cultura por um grupo cultural diferente. Numa estrutura de dominação, pode ser mais um fator de apagamento, exclusão e desigualdade. Quando Abdias Nascimento descreve aculturação ou assimilação, demonstra que suas implicações vão muito além de uma visão negativa sobre a aceitação de uma cultura dominante por uma cultura minoritária. Ao citar Fanon, explica que os efeitos da assimilação cultural ou aculturação fazem do negro, muitas vezes, um prisioneiro dos padrões estéticos da branquitude.

> Porque nenhuma outra solução resta para ele, o grupo social racializado tenta imitar o opressor e assim desracializar-se. A "raça inferior" nega a si mesma como uma raça diferente. Ela divide com a "raça superior" as convicções, doutrinas e outras atitudes a respeito dela mesma. (1978:125)

Admitir que a apropriação cultural é um fenômeno estrutural e sistêmico significa compreender que não pode ser entendida ou problematizada sob o ponto de vista particular, individual. Claro que um indivíduo reproduz e usufrui das práticas da apropriação cultural exercidas por seu grupo. Aqui, não se trata apenas de uma questão de autocrítica ou conhecimento do tema, mas de perceber a influência dos aspectos culturais no imaginário e no inconsciente de uma sociedade. As consequências desse processo são sempre em nível coletivo, na estrutura, e reverberam no favorecimento do processo de marginalização de povos socialmente invisibilizados e oprimidos.

Analisar apropriação cultural sem avaliar os efeitos da estrutura no indivíduo seria o mesmo que lançar na esfera dos gostos e preferências pessoais todo um sistema de dominação que fundamentou o colonialismo e a própria escravidão. É bom frisar que, ao nos referirmos à apropriação cultural, estamos falando de dominação, de uma posse injusta que visa, desde sempre, exploração e/ou lucro. No caso do povo negro, a pior apropriação foi a escravidão e o processo de colonização. Primeiro se apropriaram dos corpos, depois das técnicas de trabalho e da produção, e seguiram se apossando das "obras" sem dar crédito aos autores, pois tudo que era negro pertencia aos senhores. Negro não tinha sua humanidade reconhecida. Negro não tinha alma[16], não era gente. Assim, o racismo legitimou a maior atrocidade da História.

Aqueles que se apropriam, conscientemente ou não, seguem reproduzindo a lógica da escravidão e do colonialismo. Acreditam que a riqueza cultural produzida por grupos historicamente inferiorizados, como negros e indígenas, é patrimônio de todos, do qual se pode dispor sem critérios, sem limites, sem respeito. A explicação de Lélia Gonzalez é oportuna porque pormenoriza a influência fundamental do racismo nos processos culturais e deixa explícita a noção de dominação que direcionou a formação do povo brasileiro:

> O racismo latino-americano é suficientemente sofisticado para manter negros e indígenas na condição de segmentos subordinados no interior das classes mais exploradas, graças a sua forma ideológica mais eficaz: a ideologia do branqueamento, tão bem analisada por cientistas brasileiros. Transmitida pelos meios de comunicação de massa e pelos sistemas ideológicos tradicionais, ela reproduz e perpetua a crença de que as classificações e os valores da cultura ocidental branca são os únicos verdadeiros e universais. Uma vez estabelecido, o mito da superioridade branca comprova a sua eficácia e os efeitos de desintegração violenta, de fragmentação da identidade étnica por ele produzidos, o desejo de embranquecer (de "limpar o sangue" como se diz no Brasil), é internalizado com a consequente negação da própria raça e da própria cultura.[17]

A simples ideia de adoção indevida de componentes típicos de determinada cultura por integrantes de outra não dá conta dessas variantes. Pensando novamente em como a estrutura se reflete no comportamento dos indivíduos, sobretudo os de classe média e brancos, ou seja, habituados aos privilégios de sua condição, e que, por isso, acabam acreditando que têm esse "direito", percebemos que o tema da apropriação cultural esbarra inevitavelmente nas questões da branquitude, que, compreendida como um "lugar" de sujeitos sociais, assegura uma situação cômoda na qual a individualidade e a hierarquização racial não são contestadas, nem sequer desveladas. Na definição de Ruth Frankenberg (1995:43):

> Branquitude é um lugar estrutural de onde o sujeito branco vê aos outros e a si mesmo; uma posição de poder não nomeada, vivenciada em uma geografia social de raça como um lugar confortável e do qual se pode atribuir ao outro aquilo que não atribui a si mesmo.

Em se tratando de uma cultura explorada e marginalizada sistematicamente, a apropriação cultural adquire um contorno ainda mais grave, uma vez que se entrecruza com outros mecanismos de opressão e acaba ultrapassando a noção básica de adoção de elementos de uma cultura por indivíduos que não pertencem a ela. Por qual razão uma pessoa acha normal o uso de roupas, acessórios, insígnias ou objetos religiosos de outros grupos? Por que reproduz e até modifica suas tradições e manifestações artísticas? O que a faz acreditar que tem esse direito?

Até podemos considerar intercâmbio cultural um fenômeno natural e bastante frequente, mas a linha tênue que o separa da apropriação cultural exige que os critérios de diferenciação sejam bem demarcados. Por se tratar de um processo complexo, extremamente controverso, a apropriação cultural ainda precisa ser compreendida com um pouco mais de profundidade. Talvez uma diferença básica seja o fato de a apropriação sempre servir a algum interesse, que vai desde o meramente estético até os lucros de uma produção nos moldes capitalistas. Sequestram-se produções ou traços de uma cultura subjugada e adotam-nos de maneira descontextualizada para tirar proveito daquilo que consideram interessante, ignorando os significados reais desses elementos. Ao mesmo tempo, os membros dessa cultura seguem convivendo com toda sorte de opressão e são obrigados a assistir a desvalorização, esvaziamento, depuração, banalização ou estigmatização dos componentes culturais que, não raras vezes, defenderam com suas próprias vidas.

É necessário entender a função que algumas produções culturais têm na afirmação da identidade e resistência de determinados grupos, como os dreads para os rastafáris, os turbantes para as mulheres do candomblé, a quipá para os judeus, a burca para as mulheres muçulmanas, o cocar para os indígenas, o solidéu para os católicos. Já vimos dreads e turbantes virando tendência e sendo usados de maneira extremamente desrespeitosa por pessoas que não têm a menor relação com os movimentos que representam. Sabemos que se trata de uma questão estrutural e nem todo mundo faz isso conscientemente, pois esses símbolos já chegam para os indivíduos esvaziados de sentido. Por mais que a moda seja efêmera, reduzir esses elementos a meros itens de estilo ou excentricidade é um dos problemas mais sérios da apropriação cultural. A indignação daqueles que se sentiram em algum momento ofendidos provocou o aprofundamento do debate e obrigou diversos setores a se refrear.

Em suas reflexões sobre culturas, identidades e entrecruzamentos na linguagem, Ana Lúcia Silva Souza (2011) revisita a obra de Stuart Hall (2003) e nos lembra que o terreno da cultura é o espaço de batalha por significações e torna-se mais tenso e disputado quando as rápidas transformações sociais enfraquecem as narrativas locais, provocando o deslocamento das hierarquias. Como ela mesma diz:

> É nesse cenário de disputas por ideias e sentidos, em meio a projetos homogeneizantes de cultura, que "a marginalidade" abre brechas em busca de formas de ganhar mais espaço na sociedade. Com as transformações resultantes do histórico de lutas e reivindicações em torno do direito à existência de "diferentes diferenças", surgem novos sujeitos e são produzidas novas identidades em um fluxo marcado pelas "guerras de posição" no cenário cultural; enfrentamentos entre setores dominantes e dominados que, sem sair do intricado jogo de relações de poder, redefinem a cultura e alteram o equilíbrio da hegemonia cultural. (2011:50)

De acordo com as premissas de Stuart Hall (2003: 260), nessa articulação entre identidade e cultura se sobressai outra forma de interpretá-la. Vinculados à noção de luta, os elementos culturais tendem a se reorganizar para se associar a práticas e posições diversas, adquirindo assim novas significações e relevância. Para entender boa parte das polêmicas que a apropriação cultural suscita na atualidade, talvez seja importante mencionar o conceito de cultura elaborado pelo autor, que a concebe como um campo no qual ocorrem transformações em razão dos conflitos entre dominação e resistência. Em suas palavras, trata-se de "uma espécie de campo de batalha permanente, onde não se obtém vitória definitiva, mas onde há sempre posições estratégicas a serem conquistadas ou perdidas". (2003:255)

A popularização de alguns itens de culturas frequentemente inferiorizadas, como a negra ou a indígena, deve-se em grande parte à indústria da moda impulsionada pelo sistema capitalista. Grifes famosas, celebridades, empresas de comunicação, produções cinematográficas ou televisivas não só estimulam como também fazem uso da apropriação cultural. Nesses casos, as estratégias de dominação acabam passando pelo poder do dinheiro desses conglomerados.

Na prática, em se tratando do contingente negro, segue nas entrelinhas um entendimento de que tudo que é bom ou bonito não pode ser preto. Uma máxima recente deu o tom do debate e sintetizou perfeitamente a questão: "está na moda ser preto, desde que você não seja preto". Um bom exemplo é que pessoas brancas de dreads ou tranças recebem todo tipo de elogio, enquanto negros e negras com os mesmos penteados são olhados com toda carga de preconceito e chegam a ser associados à falta de higiene, desleixo e marginalidade.

Raça e apropriação cultural são temas imbricados. Quando percebemos toda essa lógica aplicada à cultura negra ou indígena, concluímos que faz parte de uma estrutura que, além de ter como base o consumismo e todas as necessidades e significados simbólicos que cria, também encontra no racismo um de seus principais componentes. Seja qual for sua variação, a apropriação cultural viabiliza a manutenção de muitos estereótipos e estigmas.

A fantasia de "nega maluca", por exemplo, quase sempre acrescida de *blackface* e muitas vezes reproduzida em programas humorísticos com trejeitos exagerados e jeito grotesco de falar, remete a uma representação, a uma ideia recorrente e já presente no imaginário coletivo brasileiro de que todas as mulheres negras são dadas a esse tipo de comportamento e aparência[18]. O gestual e os traços físicos, a linguagem, o vestuário e outras formas de expressão estão inseridos no contexto cultural, mas sua ridicularização está entre os aspectos mais perversos da apropriação.

Aqueles que deliberadamente ignoram a maneira como algumas culturas foram violentadas e tudo que sofreram ao longo da história seguem reproduzindo os mesmos expedientes quando se apropriam de suas produções. Deslegitimar as lutas ou descontextualizar os fatos, negando a propriedade e alterando os sentidos, torna o ato da apropriação um dispositivo-chave na implementação de políticas de morte. O extermínio de um povo pressupõe a morte de sua cultura. Assim, quando se tenta transformar a capoeira numa simples dança, apagando seu passado de resistência, eliminado suas referências negras, catequizando-a por meio de uma roupagem gospel, desvirtua-se completamente seu significado, comete-se um crime contra todos aqueles que a inventaram, preservaram e legaram-na a seus descendentes como um valor essencial de sua identidade.

Definir um conceito é também deixar evidente o que ele não é. Em se tratando de apropriação cultural, a noção de hibridização, que consiste em "processos socioculturais nos quais estruturas ou práticas discretas, que existem de forma separada, se combinam para gerar novas estruturas, objetos e práticas" (Canclini, 2005:XIX), pode ser um argumento para aqueles que enxergam a apropriação como uma questão menor. A explicação de Ana Lúcia Silva Souza, mais que oportuna, deixa muito evidente a espécie de relação que se estabelece em cada caso:

> Levando em conta a hibridização como um processo incessante e múltiplo de fusão e recombinação de práticas sociais estruturadas, faz-se fundamental situar tais práticas em contextos socio-históricos. Elas são sempre informadas por relações assimétricas de poder nas quais as referências se tocam, se chocam, se mesclam.

> É dessa perspectiva que as identidades não podem mais ser vistas como um conjunto de traços fixos ou dotados de essência, seja de raça ou etnia, mas como produções complexas e sempre em transformação. (2003:52)

Apropriação cultural é uma ação praticada por grupos dominantes e seus indivíduos. Consiste em se apoderar de elementos de outra cultura minoritária ou inferiorizada e utilizá-los sem as devidas referências e sem permissão, eliminando ou modificando seus significados e desconsiderando a opressão sistemática muitas vezes imposta por esse mesmo grupo dominante.

Os incautos seguem sem entender o significado do componente incorporado e não se dão conta de que apropriação cultural é mais do que a adoção de símbolos religiosos, acessórios, trajes e comidas típicas, música e dança, linguagem, técnicas e saberes tradicionais, produções artísticas, entre uma infinidade de coisas. É a essas pessoas que se deve lembrar que todos esses elementos foram tomados sem autorização por culturas hegemônicas, que muitas vezes usaram como método a colonização, a escravidão e o genocídio.

SOBRE APROPRIAÇÃO CULTURAL E RACISMO

Èṣù, Olóònòn, Kò mo nrí ìjà rẹ̀ ó ìjà rẹ̀ ó.
Exu, senhor dos caminhos, que eu nunca veja sua briga.[19]

A superação do racismo parece uma grande utopia. Isso significa que persegui-la é um requisito para que sempre caminhemos na direção de uma sociedade mais digna, que assuma e respeite as diferenças e sempre promova a igualdade. No candomblé, para tudo que parece impossível evocamos Exu, orixá que existe desde antes da criação do universo, que não sucumbiu à escravidão e que segue vivo apesar de toda demonização que ainda sofre. Exu nos faz continuar a acreditar e a lutar. Sua revolução não tem pressa e sua briga está em curso. Acreditar nessa transformação é ser um dos agentes de Exu em suas artimanhas subversivas, porque se a ordem estabelecida é injusta, cabe a Exu transgredi-la.

Falar de apropriação cultural e desconsiderar sua relação com o racismo seria o mesmo que discorrer sobre escravidão negra sem citar as crueldades dos senhores de engenho. É justamente a estrutura racista que mantém a ideia de que existem culturas superiores e inferiores. Por que apagam ou alteram os sentidos dos elementos culturais africanos ou indígenas? O que faz crer que a origem desses elementos não deve ser valorizada? Só se responde a essas e a tantas outras perguntas sobre apropriação com a compreensão de seus vínculos com o racismo.

A percepção cristã não deu conta de alcançar os significados de Exu, por isso o orixá foi sincretizado com a figura do diabo. Ao suportar uma infinidade de estereótipos racistas, Exu tornou-se uma espécie de síntese da demonização que toda cultura africana sofreu no Brasil. Com isso, todos os símbolos dessa tradição foram depreciados, da mesma forma que se deprecia até hoje todo trabalho negro (basta lembrar certas expressões, como "coisa de preto", "serviço de preto", "negócio com preto é um preto negócio" etc.). Apesar disso, turistas assistem a shows de capoeira e dança afro, apreciam a beleza de colares e tecidos africanos, visitam terreiros e querem saber seus orixás, desfilam nas escolas de samba e afoxés.

A questão é que quando tudo isso gera dinheiro, nem sempre é revertido para as demandas das populações negra ou indígena. Em muitos países, inclusive no Brasil, a apropriação cultural sustenta uma indústria lucrativa que quase sempre funciona sem a devida autorização dos integrantes da cultura usurpada, que muitas vezes desconhecem o processo de exploração a que são submetidos. É na desigualdade e no racismo, que estruturam determinadas sociedades, que reside o problema da apropriação. Não há valorização nem respeito por culturas inferiorizadas. As condições a que negros e indígenas estão expostos se estendem aos elementos e traços de sua cultura. O cuidado com a pesquisa, a compreensão dos significados, o estabelecimento de trocas, a busca de consentimento, nada disso tem importância. Numa estrutura racista, o que é do negro pertence ao senhor, que pode dispor como bem quiser.

Entretanto, as discussões mais recentes sobre apropriação cultural nem sempre vêm associadas à questão do racismo. Já vimos que os temas estão intrinsicamente ligados, por isso convém abordá-los com um pouco mais de profundidade. Primeiro, é bom que se reafirme que a democracia racial brasileira é um mito. Há quem a interprete, inclusive, como o mito de criação dessa sociedade que tem no racismo a pilastra central de sua estrutura. Em razão desse mito, muitos ainda acreditam que racismo não existe, principalmente aqueles que não sofrem seus efeitos na pele. Boa parte dos brancos não querem nem ouvir falar de racismo, muito menos admiti-lo como um problema que seus antepassados criaram e eles seguem sustentando e do qual se beneficiam. A definição de Neusa Santos Souza ajuda a compreender a ideia de mito no contexto das relações raciais:

> O mito é uma fala, um discurso – verbal ou visual – uma forma de comunicação sobre qualquer objeto: coisa, comunicação ou pes-

> soa. Mas o mito não é uma fala qualquer. É uma fala que objetiva escamotear o real, produzir o ilusório, negar a história, transformá-la em "natureza". Instrumento formal da ideologia, o mito é um efeito social que pode entender-se como resultante da convergência de determinações econômico-político-ideológicas e psíquicas. (1983:25)

Sempre oportuno lembrar Angela Davis e reafirmar que não basta não ser racista, tem que ser antirracista. Como ela mesma observou recentemente, o racismo voltou a ser mais violento e explícito, mas, em contrapartida, a percepção da injustiça e da desigualdade é mais profunda, o que possibilita o fortalecimento dos movimentos progressistas.[20] O aumento de polêmicas e denúncias de casos de apropriação cultural talvez seja um reflexo disso. A rigor, de um lado, o cenário mundial também vem sendo caracterizado por excesso de polarização, ascensão da extrema direita e exacerbação dos discursos de ódio. De outro, a reação das minorias amplia a força dos processos de descolonização e faz crescer os movimentos que indicam uma reformulação da esquerda, como o feminismo negro, por exemplo.

Mais do que pressupor a existência de uma hierarquia racial biologicamente determinada, o racismo alimenta no imaginário coletivo as noções de superioridade branca e inferioridade de outros grupos étnicos, não reconhecendo a humanidade desses grupos. Os desdobramentos do racismo influenciam todas as instâncias da organização social, como se pode inferir com base nesta definição de Kabengele Munanga:

> O racismo seria teoricamente uma ideologia essencialista que postula a divisão da humanidade em grandes grupos chamados raças contrastadas que têm características físicas hereditárias comuns, sendo estas últimas suportes das características psicológicas, morais, intelectuais e estéticas e se situam numa escala de valores desiguais. Visto deste ponto de vista, o racismo é uma crença na existência das raças naturalmente hierarquizadas pela relação intrínseca entre o físico e o moral, o físico e o intelecto, o físico e o cultural.[21]

Um país como o Brasil, com enorme dificuldade em admitir que é racista, mas construído com o sangue e o suor do povo negro durante os quase quatro séculos de escravização, segue imerso numa história de violência, genocídio e submissão que mantém esse grupo até hoje em lugares sociais de marginalidade. Aqui, abordar essas questões é praticamente um tabu. Por conseguinte, em se tratando de um país onde há racismo, mas não há racistas, a apropriação cultural tornou-se um dos assuntos que mais produziu conflitos nas redes sociais, revelando não só o desconhecimento, mas a falta de disposição dos brasileiros para examinar com profundidade suas conexões com o racismo.

Foram mais de 350 anos de escravização do povo negro no Brasil, com reflexos bem nítidos na organização social, política e cultural do país até os dias atuais. Todas as manifestações culturais negras em algum momento da história foram proibidas. A capoeira, o samba e o candomblé foram criminalizados e duramente perseguidos mesmo depois da abolição. A implementação de penitenciárias e manicômios veio para servir aos propósitos de uma política higienista. Mulheres e homens negros foram submetidos a torturas físicas e psicológicas, privados de seus modos de ser e existir, transformados em objetos sexuais, apartados de suas famílias. Há, porém, quem romantize a escravidão, quem contemporize as atitudes da igreja católica, da coroa portuguesa, do império e dos senhores de engenho. Há quem acredite que os negros, vitimistas por sua natureza indolente, reclamem sem nenhuma razão. Ao analisar os impactos do racismo, Frantz Fanon (1980:37) indica que também devemos procurar suas consequências ao nível da cultura:

> O racismo, vimo-lo, não é mais do que um elemento de um conjunto mais vasto: a opressão sistematizada de um povo. Como se comporta um povo que oprime? Aqui, encontram-se constantes. Assiste-se à destruição dos valores culturais, das modalidades de existência. A linguagem, o vestuário, as técnicas são desvalorizados. Como dar con-

> ta desta constante? Os psicólogos que têm tendência para tudo explicar por movimentos da alma pretendem encontrar este comportamento ao nível dos contatos entre particulares: crítica de um chapéu original, de uma maneira de falar, de andar (...) Semelhantes tentativas ignoram voluntariamente o caráter incomparável da situação colonial. Na realidade, as nações que empreendem uma guerra colonial não se preocupam com o confronto das culturas.

A intensidade dos debates, sobretudo com o advento das redes sociais, pode dar a impressão de que a apropriação cultural é um fenômeno recente. Fosse isso verdade, boa parte dos museus do mundo inteiro não teria metade de seus acervos. No formato que conhecemos, a apropriação vem ocorrendo há séculos e acompanhou toda história da humanidade. Com a escravidão e a formulação do racismo científico, adquire novos contornos e justificativas que passaram a respaldar a tomada de muitos símbolos, elementos, hábitos e traços culturais dos povos conquistados. Da expansão dos impérios, passando pelas grandes navegações da era colonial, até o avanço das potências capitalistas, a apropriação foi uma regra e um instrumento de inferiorização e genocídio simbólico.

Ao assumir e defender sua cultura, considerada símbolo de atraso e primitivismo, um negro torna-se ainda mais odiado. É como se recusasse a redenção branca, é uma afronta. Neusa Santos Souza, com base na obra de Florestan Fernandes (1978), fala da negação da própria cultura, um dos efeitos mais perversos do racismo, como uma condição para ascender socialmente:

> O negro que se empenha na conquista da ascensão social paga o preço do massacre mais ou menos dramático de sua identidade. Afastado de seus valores originais, representados fundamentalmente por sua herança religiosa, o negro tomou o branco como modelo de identificação, como única possibilidade de "tornar-se gente". (1983: 18)

Atualmente, muitos daqueles que se apropriam desconhecem a história de resistência que reveste elementos e traços culturais de alguns povos. Negros são acusados de pregar o ódio contra brancos pelo simples fato de denunciar o racismo e seus métodos, são constantemente acusados de vitimismo e veem suas reivindicações quase sempre deslegitimadas, são considerados intransigentes e agressivos porque resolveram bradar diante de um genocídio secular. As vítimas tornam-se algozes, uma vez que não existe um campo para o debate, e o ódio que nutre o racismo tem raízes profundas que emergem, na maioria das vezes, quando os negros reagem diante das injustiças que sofrem.

Negros não odeiam brancos, negros odeiam o racismo e os racistas.[22] Odeiam um sistema que mata seus jovens, violenta suas mulheres, encarcera seus homens, exclui suas crianças, dificulta sua velhice, impede acessos, nega oportunidades. A natureza do racismo é hedionda e combatê-lo tem que ser um compromisso da humanidade. Afirmar que a militância negra prega o ódio, a divisão, a guerra, é tão desonesto quanto se apropriar de suas produções culturais. Inerente ao racismo, o ódio se expressa em atitudes.

De acordo com Fanon (2008:61), o ódio deve ser conquistado a cada instante, ou seja, não está dado, e precisa ser elevado em conflito com complexos de culpa mais ou menos conscientes. Para o autor, o ódio pede para existir e aquele que odeia deve manifestar esse ódio por meio de atos e de um comportamento, que acaba, em certo sentido, se transformando em ódio. A forma como os americanos substituíram a discriminação pelo linchamento é um bom exemplo.

Talvez por essa razão, o assassinato de um jovem negro a cada 23 minutos (conforme os números do Mapa da Violência, da Faculdade Latino-Americana de Ciências Sociais) não comova a sociedade brasileira nem obrigue o Estado a tomar medidas adequadas. Há um extermínio, um linchamento social em curso, que segue com uma conivência que só o ódio e o racismo conseguem explicar. Nesse contexto, a apropriação cultural muitas vezes é interpretada como algo menor, uma questão banal, quando na verdade é um dos instrumentos mais usuais do racismo. Revela a repulsa com que negros e indígenas foram tratados ao longo da História, o desrespeito por seus símbolos sagrados, pelos elementos de sua ancestralidade. Negar-lhes a condição de humanos é o princípio de um sistema que os vê com tanto desprezo que considera normal dispor de sua cultura assim como de seus corpos.

A carga negativa com a qual toda cultura negra sempre foi tratada é um exemplo para pensarmos nos problemas que desafiam outros grupos inferiorizados em diversas partes do mundo. Os nativos (indígenas, aborígenes), os escravizados e os colonizados são as grandes vítimas da apropriação cultural. Se pegarmos o caso dos turbantes, utilizados inclusive por outros povos além dos africanos, veremos que o grau de preconceito enfrentado pelas mulheres negras, embora o assumam como uma coroa, ou seja, como um símbolo da dignidade de seus ancestrais, contrasta com a imagem de perfeição, beleza ou exotismo que o mesmo adorno promove quando usado por mulheres brancas fora de seus contextos culturais. Muitos elementos vistos como nocivos ou extravagantes dentro de seus universos culturais ganham ares *cult* quando adotados pelos grupos dominantes.

A apropriação reafirma o racismo porque demarca as diferenças que estabelecem como ruim tudo que vem do negro ou de outros povos inferiorizados. Em contrapartida, qualifica como boas todas as coisas que o branco produz e mesmo aquelas das quais se apropria. Uma das características mais recorrentes da apropriação cultural é apagar a cor dos elementos, isto é, emprestar um tom neutro, universal, ao elemento adotado. Fanon (2008) já demonstrou como a ideologia que ignora a cor, na verdade, apoia o racismo que nega. Nesses processos, a exigência de ser indiferente à cor significa dar suporte a uma cor específica: o branco.

O Brasil se diz orgulhoso de sua democracia racial[23], de sua miscigenação, que, na verdade, foi pensada como estratégia de branqueamento da população, mas segue reproduzindo o racismo nas suas "fantasias" mais inocentes: pintam a cara de preto e cantam "o teu cabelo não nega, mulata", como se os traços de um povo fossem uma caricatura de carnaval. Ao falar de privilégio e opressão, Adilson Moreira revela a intenção subjacente na maneira como a mistura de raças foi empreendida no Brasil:

> Apenas os europeus carregavam em seus genes as características morais adequadas para a promoção do progresso. Para os higienistas, o destino da nação dependia necessariamente da contenção da miscigenação racial, como também da melhora da população miscigenada por meio da purificação racial.[24]

Pensando em tudo isso, não se pode esquecer de uma coisa: ser negro não é uma brincadeira, não é uma tendência, não é moda. Ser negro é uma condição que pode custar a vida de uma pessoa. Essa marca da diferença, indelével e indisfarçável, sempre encontrará um "outro" que a aponte com todo peso de sua herança colonialista e escravocrata. Ao explicar as diferenças impostas pelas relações raciais, Neusa Santos Souza (1983:26) explica que afirmar que o negro é diferente significa considerá-lo inferior e subalterno ao branco. Para a autora, a diferença não abriga nenhum vestígio de neutralidade e se define em relação a um "outro", isto é, o branco, proprietário exclusivo do lugar de referência, a partir do qual o negro será definido e se autodefinirá.

Devemos tratar a apropriação cultural como uma das mais usuais estratégias do racismo e da colonização. Numa sociedade de consumo, onde tudo é visto como produto, alguns traços e componentes culturais para serem aceitos precisam passar por um processo de depuração. Ao apagar elementos ou características que podem ser rejeitados, reiteram-se práticas de dominação que contribuem para a invisibilidade de grupos minoritários, como negros e indígenas. Quando se apropriam de alguns componentes específicos das tradições de matriz africana, por exemplo, acentuam-se de maneira subliminar visões negativas ou estereotipadas. Lélia Gonzalez, trazendo o debate para o campo da linguística, forneceu um bom exemplo sobre os modos de expressão do povo. Segundo a autora, ao pronunciar "Framengo" em vez de Flamengo, a troca do "l" pelo "r" denotava a marca de um idioma africano, no qual a letra "l" não existe. Em contrapartida, o jeito brasileiro de falar corta os erres dos infinitivos verbais, condensa você em "cê", o está em "tá" etc. Para Lélia Gonzalez, essas particularidades resultavam numa outra língua: o "pretuguês". A palavra "bunda", por exemplo, provém do bantu e também seria nome de uma outra língua do mesmo tronco, ou seja, bunda é linguagem, é sentido, é coisa.

Perceber, de acordo com a autora, que os discursos da consciência e do poder dominante querem nos fazer crer que somos todos brasileiros, de ascendência europeia e muito civilizados, acaba culminando no mito da democracia racial. No entanto, quando a população negra se recusa a assumir esse mito e denuncia a discriminação, sofre uma espécie de responsabilização pela criação e os efeitos do racismo. Essa inversão dos fatos revela, na verdade, o incômodo que essas questões sempre despertaram e a dificuldade que o Brasil tem para se assumir um país negro e racista.

Mais do que um desserviço, reiterar as velhas práticas da colonização, típicas de uma estrutura racista, configura-se como uma forma de impor os traços da cultura dominante a uma cultura historicamente menosprezada e combatida. Como vimos, um negro é necessariamente marcado pela diferença e por todas as suas significações. Isso vai além da noção do exótico, tão presente nos casos de apropriação, demarca os espectros mais pujantes do racismo e atualiza constantemente aquilo que não se diz, mas fica comprovado a cada episódio polêmico: "negro é aquilo que ninguém deseja ser". Negar a origem das coisas, ignorar sua cor, é uma ideologia, é uma forma de respaldar o racismo que tanto se refuta.

Nessa perspectiva, falar de relações raciais, até para entender no que se baseiam as condutas de pessoas brancas, é uma maneira de avançar na compreensão de todos os temas inerentes ao racismo. No Brasil, a questão é interpretada exclusivamente como um problema do negro, quando, na verdade, é um problema de negros e brancos. Conforme avalia Cida Bento:

> É como se o branco não fosse elemento essencial dessa análise, como se a identidade racial não tivesse fortes matizes ideológicos, políticos, econômicos e simbólicos que explicam e, ao mesmo tempo, desnudam o silêncio e o medo. (2012: 44)

As desigualdades construídas socialmente perpassam todas as questões relacionadas à apropriação cultural, que é, em muitas situações, uma maneira de reproduzir preconceitos e reafirmar o lugar do negro ou do indígena. A vontade de usar turbante, tranças, dreads ou um cocar não pode se sobrepor à história e aos significados que esses elementos possuem para seus grupos de origem.

Mesmo bem-intencionadas, pessoas brancas, por mais aliadas e engajadas que sejam, por mais que se empenhem na luta antirracista, jamais sentirão na pele a dor de quem sofre racismo. Permitir que as vozes de negros e indígenas sejam ouvidas e devidamente registradas, sobretudo nos casos de apropriação cultural, é mais do que entender o lugar de fala das principais vítimas, é também entender que branquitude é um lugar social, o lugar do privilégio, do poder, e que esse lugar foi construído na base da opressão de grupos negros e indígenas. Nesse sentido, entender o lugar de fala[25] do grupo negro, reconhecer a necessidade de humanidade desses grupos, romper com o regime de autorização que nega a existência de outros grupos, torna-se essencial. A análise de Adilson Moreira é mais uma vez oportuna:

> O grupo racial majoritário tem o poder simbólico de universalizar seus traços culturais e interesses setoriais e, em razão disso, as pessoas que fazem parte dele podem viver sem se preocupar com a raça porque representam a regra universal. Essas representações atuam tanto no plano cultural quanto no plano inconsciente, determinando o comportamento daqueles que controlam o acesso a bens e oportunidades. O problema com o fenômeno da transparência decorre do fato de que a branquitude é um sistema de dominação, uma vez que a estrutura de privilégios raciais é construída tomando-o como uma referência cultural universal.[26]

Por que em debates relacionados ao candomblé, por exemplo, a opinião de um sociólogo branco tem mais valor do que a de uma mãe de santo? O que confere autoridade ao sociólogo é sua condição de branco, ou seja, de detentor do saber acadêmico, da razão, da inteligência. Ao passo que o racismo e suas significações, com o peso da negritude, da ignorância, do primitivismo, é o que silencia a iyalorixá.

Nos anos 1970, o corte black power foi largamente utilizado por negros e brancos (que tornavam os cabelos crespos por meio de produtos químicos), mas os sentidos que despertavam em cada grupo eram completamente diferentes. Muitos acreditam que quando um negro alisa os cabelos o processo é o mesmo, o que definitivamente não é verdade. Para boa parte das mulheres negras, alisar os cabelos era uma condição para conseguir ou manter um emprego, para ter acessos, para ser aceitas. Um negro, quando tenta se aproximar do padrão estético branco, muitas vezes o faz por uma questão de sobrevivência. Em alguns países da Europa e nos Estados Unidos, houve um costume entre os negros de recorrer a tratamentos para clarear a pele e há quem ainda se arrisque nesses procedimentos apesar dos produtos serem comprovadamente cancerígenos. A pergunta é: o que leva um negro a clarear a pele é o mesmo motivo que leva um branco a se bronzear?

A força das culturas negra e indígena se expressa por meio do significado de suas produções, costumes e elementos. É algo que só passa a ser mensurado em dinheiro quando o grupo dominante lhe atribui algum valor que pode ser explorado. O capitalismo e a sociedade de consumo reforçam as ações do colonialismo, sobretudo na invisibilidade desses povos sistematicamente inferiorizados. Ao investir num estilo que remete a suas origens, negros e indígenas exercem, de fato, sua liberdade de expressão e reivindicam seu direito de ser e existir. Um cabelo, um acessório, uma roupa são muitas vezes um grito, uma atitude diante da sociedade que os oprime, são resistência. Lembrando o exemplo das religiões de matriz africana e seus entrecruzamentos com outros aspectos dessa cultura:

> Símbolos sagrados não podem ser desrespeitados, não podem ser esvaziados de sentido e comercializados como enfeites. São parte da cultura de um povo. Embora a potencialidade de instaurar o sagrado em qualquer tempo, em qualquer lugar, seja um direito de qualquer iniciado no candomblé, não pode, de forma alguma, ser confundida com indulgência. A religiosidade negra brota das ruas e encruzilhadas, está no samba, na capoeira, no acarajé. Culto que se pratica com alegria e regozijo, com música, com dança, com arte. Fé que se enfeita de contas e búzios, de formas e cores. Mas tudo isso tem origem, tem raça, tem história.[27]

Transformar a questão da apropriação cultural numa guerra entre negros e brancos, reduzindo-a a uma relação do que pode ou não pode, é o mesmo que desconsiderar toda história de luta para a manutenção de suas tradições. Já vimos que um mesmo penteado para um negro e para um branco tem significados absolutamente distintos, e quando um negro, por qualquer motivo que seja, acaba assimilando a cultura do branco não se trata de apropriação. A cor da pele é uma decorrência, um atributo físico, não uma escolha, e no caso de negros em países escravistas evoca um passado de sofrimento e submissão ao regime. Todos os componentes culturais inerentes a essa condição designam um pertencimento, uma identidade, um lugar social, portanto seu uso por aqueles que não fazem parte do grupo requer um mínimo de critério e bom senso.

Abordar a relação entre racismo e apropriação cultural demanda um entendimento mais específico dos processos de aculturação aos quais povos historicamente inferiorizados foram submetidos e, ao mesmo tempo, destrinchar os motivos que levam o grupo dominante e seus membros a se achar no direito de incorporar alguns elementos culturais, apagando ou desrespeitando seus significados. Gosto pessoal, modismo, embelezamento ou tendência não justificam a apropriação. O respeito à história e à luta de um povo é que está em questão.

Talvez o grande problema da apropriação cultural seja a discriminação. Toda cultura apropriada é necessariamente uma cultura discriminada, marginalizada, menosprezada. E aqueles que dela se apropriam são justamente os agentes (nem sempre diretos)[28] dessa discriminação. Isso faz com que todos os quadros de exclusão sejam mantidos, a começar pelo racismo.

A impressão de que elementos da cultura negra estão sendo valorizados quando se tornam tendência e passam a ser usados por todos é uma grande falácia. Nada disso muda a condição social do negro, nem faz com que a sociedade enxergue aquele mesmo elemento cultural em uma pessoa ou território negro de maneira positiva. Um acarajé no terreiro de candomblé continua sendo uma oferenda a Iansã e visto como "coisa do demônio" por aqueles que comem o "bolinho de Jesus" da baiana que se converteu ao neopentecostalismo. Uma negra de turbante, toda de branco, numa sexta-feira, ainda é a "macumbeira" da qual se deve manter distância. O menino negro de rastafári é sujo e fedido. A apropriação cultural não contribui para a superação dos estigmas, muitas vezes acaba por reforçá-los.

A cultura negra dá o tom na moda, é tendência, é chique, mas ser negro ainda é correr o risco de levar um tiro por carregar um simples guarda-chuva[29]. Como devem se sentir as meninas das comunidades, que nasceram e cresceram no samba, ao ver a celebridade loira de olhos azuis reinando à frente de uma bateria sem o mínimo de coordenação motora? Há quem diga que os negros são ressentidos, egoístas, que querem tudo para si. No entanto, essas pessoas não são capazes de perceber que tudo já lhes foi tomado e que segue em curso um perigo maior: ser excluídos de seus territórios de resistência.

Como avaliar, por exemplo, o discurso de uma mãe de santo branca que diz que seu candomblé é muito bom porque só tem três ou quatro negros? Ou uma escola de samba que se recusa a fazer enredo afro para não desagradar à maioria branca de seus componentes? Como demonstrou o compositor e cronista paulista Geraldo Filme, na música "Vá cuidar da sua vida", a apropriação dos territórios também é uma realidade a ser considerada.

A rigor, toda discussão em torno da apropriação cultural remete a um debate mais amplo e necessário a respeito das relações raciais. Estamos falando da produção de bens simbólicos e de suas trocas, nem sempre justas, no âmbito da convivência social. Quem são os protagonistas dessas trocas? Negros e brancos? Indígenas e brancos? Mulheres e homens? Pensando na realidade brasileira, o que significa ser negro e o que significa ser branco? Luciene Cecília Barbosa relata que:

> A maior parte dos estudos sobre questões raciais responde à primeira parte da pergunta. Já sobre a segunda parte da questão há um silêncio, embora haja resposta. Como salienta Bento, o silêncio e a neutralidade do branco o colocam numa situação bastante confortável no âmbito das discussões sobre relações raciais. Desta forma, não discutimos as diferentes dimensões de privilégios que implicam diretamente a vida dos negros e dos brancos.[30]

Isso demonstra que a raiz da apropriação cultural se fortalece mas não advém da sociedade de consumo ou dos aspectos efêmeros que regem as relações na atualidade. Em outros termos, não se trata de incorporar elementos culturais considerados interessantes ou belos, mas de inserir esse dispositivo nas estratégias de dominação utilizadas desde o início da era colonialista.

Entre as elites e os grupos inferiorizados historicamente persiste uma desigualdade que se estende à questão cultural. Nesse sentido, a apropriação aprofunda o problema à medida que rouba o protagonismo e nega a autoria original dos elementos. Tomar os componentes culturais de um grupo minoritário e receber os créditos – e algumas vezes o lucro – no lugar daqueles que realmente os criaram é apenas um dos problemas. Há um risco de os elementos adotados pelo grupo dominante ainda reforçarem estigmas da cultura minoritária.

Conclui-se, portanto, que as discussões acaloradas que alguns episódios de apropriação geraram têm mais a ver com a profusão do racismo do que com o uso indevido de um elemento qualquer. Não é que as expressões culturais não sejam importantes, mas é impossível compreender o sentido da apropriação sem admitir que o racismo e a dominação colonial, mais do que seus precursores, seguem incrementando suas ações. Destituir de valor a cultura, destruir referências, desprover de identidades, apagar os sentidos, esvaziar de significados são as armas do colonizador. Como explica Fanon:

> Na realidade, as nações que empreendem uma guerra colonial não se preocupam com o confronto das culturas. A guerra é um negócio comercial gigantesco e toda perspectiva deve ter isto em conta. A primeira necessidade é a escravização, no sentido mais rigoroso, da população autóctone. (...) Para isso, é preciso destruir os seus sistemas de referência. A expropriação, o despojamento, a razia, o assassínio objetivo, desdobram-se numa pilhagem. O panorama social é desestruturado, os valores ridicularizados, esmagados, esvaziados. (1980:37)

Sempre que um elemento cultural é removido de seu contexto original, acaba assumindo outros significados, normalmente bem diversos e em algumas situações até contraditórios. Quando determinada minoria é submetida a uma dominação social, econômica ou política, isso implica também uma dominação cultural. Como se viu, os processos de apropriação referem-se aos bens simbólicos de um grupo, que são descaracterizados e desvalorizados como forma de aniquilar suas tradições e negar sua humanidade e seu direito de existir.

Fanon (1980:38) ainda ressalta que o estabelecimento de uma gestão colonial não traz em sua base a eliminação da cultura originária. Na verdade, o que se observou historicamente sinaliza que no fundo o objetivo é promover um enfraquecimento contínuo em vez de um desaparecimento total da cultura preexistente. A consequência disso é que "esta cultura, outrora viva e aberta ao futuro, fecha-se, aprisionada no estatuto colonial, estrangulada pela canga da opressão". Trata-se de uma forma perversa de instaurar a dominação e desumanizar um grupo social. Ao mesmo tempo, o colonizador afirma sua superioridade de maneira constante e consistente.

Por mais paradoxal que pareça, uma das principais características da apropriação cultural é reforçar abismos sociais. A questão que fatalmente se coloca é a falta de um mínimo de comprometimento com as lutas e reivindicações dos grupos que são permanentemente desumanizados. Aqueles que praticam a apropriação nunca se engajam no combate ao racismo ou à intolerância religiosa, não se empenham na preservação de áreas indígenas ou quilombolas, não apoiam ações sociais em comunidades carentes.

Ao contrário, seguem a dinâmica que Fanon descreveu e não contribuem, por exemplo, para a construção de uma identidade positiva para meninos e meninas negras, que já sofrem com toda sorte de discriminação nas escolas, que nunca se veem representados e que assistem a uma verdadeira distorção dos elementos culturais de seu povo e uma completa desvalorização de suas tradições. O esforço antirracista passa pela luta contra todas as suas práticas, pelo respeito à diversidade humana e, principalmente, pelo fim de todas as formas modernas de colonização.

> Diz-se corretamente que o racismo é uma chaga da humanidade. Mas é preciso que não nos contentemos com essa frase. É preciso procurar incansavelmente as repercussões do racismo em todos os níveis de sociabilidade. (...) Essa gangrena dialética é exacerbada pela tomada de consciência e pela vontade de luta de milhões de negros e judeus visados por esse racismo. (Fanon, 1980:40)

No Brasil, quem se percebe alvo de racismo já não pode reclamar e, mesmo ao denunciar casos gritantes de apropriação cultural, corre o risco de ser acusado de "vitimismo", termo que designa uma suposta noção de que as reclamações da população negra não fazem sentido, que há um efeito psicológico, um complexo, que atribui todos os problemas do grupo à questão racial. Mesmo as denúncias fundamentadas por dados estatísticos e argumentos sólidos são minimizadas e nunca são atribuídas à estrutura racista. É como se nascer negro fosse um grande crime, uma espécie de "pecado original" pelo qual se deve expiar resignadamente. Boa parte da classe média branca brasileira coloca na conta da vitimização todas as reivindicações da população negra, inclusive a denúncia do genocídio de seus jovens.

Morrer calados, afinal, quem mandou ser preto? Esse pensamento latente segue a sustentar a inércia de muitas pessoas diante dos casos de humilhação e violência a que negros e negras são submetidos cotidianamente na escola, no trabalho, nos hospitais, nas novelas e programas de televisão, na relação com a polícia, com a política e com a justiça. A verdade é que poucos demonstram alguma indignação ou tomam alguma atitude. Preferem manter um silêncio conivente, uma surdez descompromissada. O avanço da luta antirracista exige mais do que o fortalecimento da população negra, requer a conscientização de pessoas brancas em relação a seus privilégios. A esse respeito, Adilson Moreira pontua:

> Privilégios sociais são direitos, sanções, imunidades, poderes e vantagens que um grupo majoritário atribui a uma pessoa simplesmente por fazer parte dele. Os privilégios de certas categorias estão diretamente relacionados com a opressão de minorias porque a condição na qual tais pessoas vivem provoca a contínua privação de oportunidades sociais. Assim, a opressão acontece porque grupos majoritários têm o poder de impor a outros rótulos e condições que legitimam uma organização social na qual as pessoas ocupam lugares específicos.[31]

Desconstruir-se é uma condição para alcançar uma sociedade mais justa e promover uma cultura de inclusão. Em outras palavras, brancos devem ser aliados, não na medida de seus interesses ou privilégios, mas pensando na coletividade, exercitando a empatia e reconhecendo que se beneficiam de um quadro social que perpetua a desigualdade.

Esse nível de consciência já seria suficiente para que alguns casos de apropriação cultural nem chegassem a acontecer, mas o racismo faz com que o grupo que se percebe superior numa sociedade se sinta no direito de dispor dos bens culturais dos grupos inferiorizados. De uma forma ou de outra, culturas minoritárias estiveram frequentemente subordinadas ao controle social, político, econômico ou militar de grupos majoritários. Apropriar-se dos elementos simbólicos de um grupo étnico sempre foi um meio eficiente de subjugá-lo, inclusive em tempos de conflitos raciais. A lógica racista atravessa todas as instâncias da sociedade e utiliza a desconfiguração dos traços culturais como uma estratégia para desarticular o grupo. Como explica Fanon (1980:42):

> O racismo avoluma e desfigura o rosto da cultura que o pratica. A literatura, as artes plásticas, as canções para costureirinhas, os provérbios, os hábitos, os patterns, que se proponham fazer-lhe o processo ou banalizá-lo, restituem o racismo. O mesmo é dizer que um grupo social, um país, uma civilização, não podem ser racistas inconscientemente. Dizemo-lo mais uma vez: o racismo não é uma descoberta acidental. Não é um elemento escondido, dissimulado. Não se exigem

> esforços sobre-humanos para o pôr em evidência. O racismo entra pelos olhos dentro precisamente porque se insere num conjunto caracterizado: o da exploração desavergonhada de um grupo de homens por outro que chegou a um estágio de desenvolvimento técnico superior. É por isso que, na maioria das vezes, a opressão militar e econômica precede, possibilita e legitima o racismo.

Nessa perspectiva, a manutenção das desigualdades e o racismo são inerentes à apropriação cultural. Por mais que tente se mostrar como um processo natural e inocente, sempre que a cultura dominante pretende adotar elementos ou padrões culturais das minorias, ela o faz sem reconhecer as condições históricas e sociais desses grupos e acaba sustentando as diferenças e consolidando relações de poder desiguais. Abdias Nascimento e Frantz Fanon apontam o uso deliberado e estratégico dos processos de aculturação. Ambos associam-no ao racismo e compreendem a assimilação como uma forma de alienação, uma vez que impõe ao indivíduo uma incapacidade de pensar e agir por si, o que resulta numa falta de consciência de seu papel social. Aquele que incorpora a cultura majoritária, não necessariamente na condição de escravizado, segue alheio, indiferente às questões econômicas, sociais ou ideológicas que o dominam.

A apropriação cultural deve ser compreendida como parte essencial do racismo estrutural, especialmente por recair sobre populações não brancas que, por suas condições étnico-raciais, sofreram toda sorte de perseguição, desde humilhações até o genocídio. Quando se questiona o uso indevido de certos elementos culturais, insere-se nessa ação a crítica à expropriação dos referenciais que forjam a identidade desses povos. No fundo, a ideia de exotismo muitas vezes direciona o ato da apropriação e reforça a exclusão do grupo e de seus elementos culturais.

Um bom exemplo são os acessórios indígenas, que só são vistos como "normais" dentro de suas comunidades. Contudo, ao serem usados como fantasias ou enfeites por não indígenas, são esvaziados de seus significados, colocados em contextos excepcionais e até admirados, como nos bailes de carnaval ou festas temáticas. Agora, quando os próprios indígenas os usam em situações cotidianas, corriqueiras, em contextos urbanos, causam estranhamento. Estar inserido, fazer parte, é aceitar a cultura imposta pela colonização, é deixar de ser o que se é. Por isso, as críticas de Abdias Nascimento à aculturação convergem com os conceitos de apropriação cultural aqui apresentados e dialogam perfeitamente com esta explicação de Fanon:

> Simultaneamente "aculturado" e desculturado, o oprimido continua a esbarrar no racismo. Acha que esta sequela é ilógica. Que o que ele superou é inexplicável, sem motivo,

> inexato. Os seus conhecimentos, a apropriação de técnicas precisas e complicadas, por vezes a sua superioridade intelectual quanto a um grande número de racistas, levam-no a qualificar o mundo racista de passional. Apercebe-se de que a atmosfera racista impregna todos os elementos da vida social. O sentimento de uma injustiça tremenda torna-se, então, muito vivo. Esquecendo-se o racismo-consequência, atira-se como fúria sobre o racismo-causa. (...) De fato, o racismo obedece a uma lógica sem falhas. Um país que vive, que tira sua substância da exploração de povos diferentes, inferioriza estes povos. (1980:45)

Em síntese, o que está, de fato, implícito no problema da apropriação de traços, componentes, símbolos e hábitos culturais de um povo, principalmente daqueles que não se enquadram nos padrões ocidentais, cristãos e eurocêntricos, é um processo de exclusão que reforça a marginalização de seus membros. Portanto, a apropriação cultural reflete uma estrutura racista que não permite acesso e visibilidade a grupos inferiorizados e, mais grave, promove muitas vezes o silenciamento ou apagamento de suas manifestações, esvaziando de significados os elementos de sua tradição.

O racismo desumaniza e, ao não reconhecer a humanidade do outro, acaba promovendo seu extermínio. A morte de um cachorro causa mais comoção do que o assassinato de uma mãe de família negra, uma galinha ofertada a Exu numa encruzilhada é motivo de indignação e ação judicial no STF, a integração de indígenas à sociedade-padrão é considerada um projeto favorável, o genocídio da juventude negra não mobiliza autoridades. A apropriação cultural faz parte da estrutura racista que alimenta tudo isso.

Mais que frequente, o debate gerado em torno desse conceito não diz respeito apenas ao que pode ou não ser usado, até porque um negro, um indígena ou qualquer grupo socialmente marginalizado não tem poder para proibir um branco, que é parte do grupo dominante, de usar o que bem entender. Portanto, não se trata de adotar um objeto por simples gosto pessoal ou liberdade de expressão. À medida que desvaloriza e esvazia traços e elementos importantes de uma tradição, a apropriação cultural compromete a existência dos grupos sociais minoritários e a vida de seus membros.

A arrogância é uma característica recorrente naqueles que cometem algum tipo de apropriação e, no caso brasileiro, tem muito a ver com a forma violentamente hierarquizada com a qual a sociedade se organizou. Há um grupo dominante que goza de inúmeros privilégios, acredita que pode tudo e não admite ser questionado. A expressão "sabe com quem você está falando?", tão usual nas relações de poder pautadas por uma superioridade típica da escravidão e do coronelismo, própria das elites acostumadas às famosas "carteiradas", estabelece claramente os lugares sociais de brancos e negros. No fundo, no Brasil, brancos ainda se acham no direito de se apoderar de tudo que o negro produz. Isso, como veremos, expressa mais do que simples relações entre os que detêm os meios de produção e os que vendem a força de trabalho.

CAPITALISMO E SOCIEDADE DE CONSUMO

*Owó nlá bànbà. Ójìsè owó nlá bànbà.
Dinheiro grande, imenso. Mensageiro da riqueza.*[32]

Por mais simples que seja, toda sociedade se constitui política e economicamente. A disponibilidade e a geração de recursos, bem como as formas de execução do trabalho servem como base para uma organização minimamente sistematizada. O poder também é conduzido por um complexo de instituições, que asseguram a ordenação e a unidade do grupo. Entre os povos tradicionais, a relação com o sagrado e seus ritos e as diversas modalidades de parentesco estabelecem muitas vezes os modos de produção e circulação de bens e a própria gestão política.

Desde as explicações das teorias evolucionistas, logo refutadas pelas pesquisas de campo de autores como Malinowski e Franz Boas, que apresentaram uma série diversificada de sistemas econômicos que não poderiam ser "encaixados" naqueles estágios que o evolucionismo pressupunha, as formas como os indivíduos adquirem, dispõem e administram recursos passou por inúmeras alterações. A produção, a troca e o consumo de bens são inerentes a qualquer sociedade e talvez o aspecto indispensável para a subsistência do grupo seja a relação entre meio ambiente, população e cultura.

Não se pode desconsiderar, por exemplo, que em muitas sociedades elementos culturais (como o sistema de parentesco) servem como base para as relações econômicas. Enquanto parte da organização social, a economia integra um contexto mais amplo, que inclui uma rede de conexões entre pessoas e entre grupos. Nessa rede são considerados valores, símbolos, padrões de comportamento e regras de conduta. Em alguns casos, o grupo produz apenas o que consome e reserva o excedente para trocas, que tendem a facilitar esses processos de produção.

A maneira como as sociedades negro-africanas se organizavam economicamente antes da chegada dos europeus fornece uma dimensão do caráter ideológico que passou a definir sistemas como o capitalista. Uma boa amostra é que a troca comercial não se fazia com notas ou moedas, mas com um artigo precioso que servia como padrão de valor. Naquele tempo, os búzios e alguns outros elementos, como manilhas de metal e tecidos, eram usados como dinheiro, e a economia era regida por princípios diferenciados.

A troca sempre foi a base, mas, como nos lembra Mãe Stella de Oxóssi, o dinheiro transformou-se no elemento material que a representava. Era um tempo em que Exu ostentava no mercado seu colete de búzios. Rico e generoso, ensinava que se devia dar valor ao dinheiro, mas na justa medida, nem mais, nem menos. Nossos mais velhos já diziam: "dinheiro não é riqueza, dinheiro é só dinheiro". Nas palavras de Mãe Stella:

> Diferente do que se costuma pensar, a filosofia yorubá não relaciona prosperidade, apenas, a dinheiro. A referida palavra quer indicar uma reunião de circunstâncias que precisam ser buscadas, para que se vá alcançando, continuamente, um estado mais elevado do ser, em seus diferentes aspectos: físico, emocional, social, espiritual e, é claro, financeiro. (2012:105)

Circulação ou acumulação? Reciprocidade ou exploração? Colaboração ou competição? Na comparação com o capitalismo vigente, os paradoxos são inevitáveis, mas percebe-se que não se trata apenas de um sinal de desprendimento. Há um reflexo das formas de sociabilidade estabelecidas entre os grupos que não se organizaram dentro da lógica capitalista. No candomblé, por exemplo, a lei da troca ainda é praticada e transmitida aos iniciados por meio de alguns costumes,[33] como o "dinheiro do prato", o "dinheiro do chão" ou o "dinheiro da mesa" (Oxóssi, 2012:87). Explicando melhor, a contrapartida imediata em muitas ocasiões é simbólica e nem sempre pressupõe pagamento. Na maioria das vezes, é a retribuição que reitera um valor fundamental do povo negro e dos terreiros: a gratidão. Ainda de acordo com Mãe Stella:

> O sentimento de gratidão forma uma ligação de afetividade consciente. Afinal, "obrigado" tem origem no latim *obligare*, que significa "para unir". Quando, portanto, um muito obrigado é dito para alguém, eles estão se unindo em uma corrente de amizade e cooperação mútua. (2012:77)

Essas noções não correspondem às práticas do sistema capitalista, que, a rigor, difere profundamente da forma como povos tradicionais organizavam a relação com o trabalho, a circulação e o consumo de bens. Enquanto sistema econômico, o capitalismo tem na base de sua ideologia a propriedade privada e a concentração dos meios de produção nas mãos de uma elite, que as operam visando acumulação e lucro. Os critérios econômicos estabelecidos em muitas sociedades indígenas, por exemplo, jamais presumiriam a fabricação de qualquer artefato em série ou o cultivo de algum item alimentar além do que fosse indispensável ao grupo.

Já as sociedades africanas, como as iorubás, são bastante estratificadas e com grande complexidade material quando se trata de poder. Nesses casos, certamente não havia acumulação no sentido capitalista. Porém, mesmo sem grande acumulação, existia a produção de peças de prestígio (muitas vezes de alto luxo, como os objetos de bronze, armas, joias, roupas finas ou peles de leopardo etc.). Esses componentes eram posse de uma "aristocracia" ou de líderes políticos ou religiosos, e não estavam disponíveis para uso coletivo ou utilitário, como no seio das linhagens. Eram de caráter exclusivo e ostentatório, que muitas vezes não podiam ser comercializados.

A grande diferença é que na África a riqueza e o poder eram medidos pela quantidade de pessoas sob influência dos líderes (súditos, parentes, esposas ou dependentes), em vez do acúmulo de "coisas" ou terras. Entretanto, esse poder não deixava de ser marcado pela propriedade de objetos riquíssimos tanto em valor financeiro, quanto em significados simbólicos.

Wanderson Flor do Nascimento[34] faz uma análise dos mercados capitalistas ao demonstrar no que diferem dos tradicionais mercados do povo iorubá, permitindo que se pense na maneira como comunidades mais simples, como as indígenas ou remanescentes de quilombos, são afetadas e prejudicadas à medida que se aproximam ou são invadidas pelas ideologias do capitalismo.

Vale ressaltar que o caso indígena brasileiro é bastante diferente das sociedades africanas mais complexas. Talvez para os congos ou iorubás a lógica econômica seja em alguns aspectos mais parecida com o antigo regime europeu do que com a dos indígenas brasileiros, inclusive porque o fator climático é fundamental na questão da acumulação. Por isso, os iorubás provavelmente não se encaixem nessa ideia de sociedades "mais simples". O termo "pré-capitalista" nos parece mais adequado para designar essas economias tradicionais. O caso quilombola é complexo, pois tentaram recriar os moldes africanos, mas em uma situação de "clandestinidade", durante um contexto escravagista.

Num texto dedicado a Exu Olojá, o Senhor do Mercado, Nascimento[35] ajuda a entender como "as relações de sociabilidade são sustentadas nesse mercado regido por Exu em contrapartida das relações de acumulação, que não necessariamente geram sociabilidades, no contexto dos mercados capitalistas". Mesmo existindo intenso comércio nas sociedades africanas pré-coloniais, a moralidade econômica era outra. Ao contrário do liberalismo, o mercado era muito regulado pelos poderes políticos e espirituais.

Explicando melhor, não era qualquer um que podia vender qualquer coisa. Havia itens que não podiam entrar no mercado, outros que só podiam ser vendidos por iniciados de um grupo específico, itens exclusivos de uso do rei ou de chefes, tudo isso muito regulado pelo poder político local. A ideologia do livre mercado capitalista dissolve essas relações morais, políticas e religiosas ligadas ao comércio, num processo de longa duração que se iniciou com o tráfico de escravizados e se concretizou, de fato, bem mais tarde, durante o colonialismo.

Exu, o senhor do mercado, é o orixá da comunicação e do movimento, responsável pela transmissão e distribuição do Axé, o poder de realização. Como já vimos, na qualidade de Olojá preside todas as formas de troca, além de promover a circulação de bens e recursos. Sempre justo e atento ao princípio da reciprocidade, Exu procura não só compensar um trabalho pelo outro, mas tenta fazer com que essa compensação crie laços de sociabilidade. Nas palavras de Nascimento:

> É aí que o mercado iorubá se distingue do mercado capitalista: enquanto este é um lugar de acumulação que, muitas vezes, passa pela expropriação e exploração, os primeiros são responsáveis por criar laços de responsabilidade pelo trabalho das outras pessoas que produziram, produzem e produzirão aquilo do que eu preciso, mas não sou capaz de produzir em um determinado momento. (2016:30)

Antes de avaliar os efeitos do sistema capitalista nos modos de produção e de vida das comunidades tradicionais, é importante considerá-lo como uma continuidade do colonialismo, uma vez que sorve e reproduz o método de exploração escravista não só na maneira como concebe o trabalho assalariado, mas, sobretudo, na profusão dos desejos que gera ao inserir os indivíduos na lógica do consumo. Desse modo, a ideologia capitalista associa-se às várias formas de apropriação cultural e segue sustentando as desigualdades sociais e o racismo.

Convém destacar que existe uma grande diferença entre os processos nos dois lados do atlântico.

Na América, trata-se do antigo sistema colonial mercantil (séculos XV ao XIX), na África, do colonialismo moderno e do capitalismo industrial (séculos XIX e XX). São duas fases diferentes e contínuas da expansão capitalista e imperial europeia. Obviamente, algumas fases de tráfico, como de escravizados e marfim, geraram transformações importantes nas sociedades africanas desde o século XVIII.

Sendo mais direto, é importante ressaltar que a relação entre colonialismo e capitalismo é intrínseca. Afinal, não teria sido (como demonstram Marx e outros) pela acumulação primitiva de capitais, graças ao tráfico de escravos e a colonização das Américas, que a Europa se industrializou e passou a ser "desenvolvida"? Que em seguida França, Inglaterra, Alemanha e outras metrópoles se configuraram como novos impérios industriais e colonialistas no fim do XIX? Assim, quiseram roubar matérias-primas e despejar produtos industriais pelo mundo, gestando o capitalismo, que foi se tornando progressivamente mais consumista. O racismo e a exploração econômica dos povos e terras do sul são alicerces de todo o processo capitalista, desde sua concepção, e também do consumismo.

Portanto, os conceitos de sociedade de consumo e capitalismo são praticamente indissociáveis e implicam também a noção de economia de mercado. Durante o longo processo de expansão e transformação do sistema capitalista, os pressupostos de equilíbrio entre oferta e demanda e livre circulação de capitais, produtos e pessoas, acrescidos da não-intervenção do Estado, desembocam no neoliberalismo. Dessa forma, a sociedade de consumo configura-se pela comercialização intensa de bens e serviços em razão da produção elevada ou em série. Mais do que representar um tipo de sociedade que se encontra em avançada etapa de desenvolvimento industrial, reveste-se de uma infinidade de componentes simbólicos, que, atuando no imaginário e no inconsciente coletivos, criam valores e necessidades. Mesmo numa perspectiva antropológica da apropriação, os fatores econômicos devem ser analisados juntamente com esses aspectos sociais, psicossociais, culturais e históricos.

Na sociedade de consumo, para que alguns elementos culturais sejam transformados em produtos, utilizam-se determinadas estratégias a fim de torná-los palatáveis. Como dito, no caso da cultura afro-brasileira, é muito comum que se tentem apagar os traços negros, a origem ou qualquer outro componente passível de rejeição, sobretudo aqueles que de alguma forma remetem à herança religiosa. Trata-se, obviamente, de uma estratégia racista que está por trás de exemplos gritantes de apropriação cultural, como no caso do acarajé, que chegou a ser vendido nas esquinas de Salvador como "bolinho de Jesus", na invenção de uma capoeira gospel ou na ideia de que orixá é energia, portanto não tem cor.

Alguns episódios vêm requerendo intervenção do Estado por meio de legislação, denúncias ou processos judiciais, como no próprio caso do acarajé e na recente acusação do governo mexicano à grife Carolina Herrera. Ocorre que, no sistema capitalista, a apropriação cultural ultrapassa o desrespeito a certas culturas, subalternizadas pela hegemonia branca e cristã ou pela dominação europeia e norte-americana. Nesse contexto, além de se tornar lucrativa, a apropriação configura-se como um "diferencial" e um grande "negócio".

Não faltam exemplos no mundo da moda. Em 2015, a grife francesa Isabel Marant utilizou em sua coleção de verão um bordado feito há 600 anos pela comunidade mexicana Santa María Tlahuitoltepec, da província de Oaxaca. A marca foi acusada de se apropriar de um símbolo da identidade dessa população ao produzi-lo em larga escala e comercializá-lo como uma peça "tribal". O mais grave, porém, é que o bordado era produzido por mulheres da comunidade a um custo aproximado de R$ 65 e vendido pelo equivalente a R$ 1.000 sem nenhum repasse dos lucros a suas criadoras.

Vem do México também a polêmica recente envolvendo a grife Carolina Herrera,[36] acusada de usar em sua coleção Resort 2020 elementos que fazem parte da identidade dos povos indígenas. A secretária de cultura Alejandra Frausto enviou uma carta de reclamação à marca, pedindo uma explicação pública sobre a utilização dos elementos culturais e sobre como isso beneficiaria as comunidades mexicanas. Os desenhos, bordados e detalhes usados na coleção refletem a visão de mundo dos povos das províncias de Hidalgo, Oaxaca e Coahuila.

Além de intensificar as discussões em torno dos direitos culturais dos indígenas, esse fato reacende uma série de debates sobre o desrespeito à cultura de povos sistematicamente oprimidos. Estilistas e marcas de renome mundial frequentemente se envolvem em contendas desse tipo. Mesmo já tendo colaborado com uma comunidade indígena em 2015 (numa coleção de bolsas), dessa vez Carolina Herrera lança suas "criações" sem nenhum tipo de compensação econômica. O estilista da grife admitiu sua "inspiração", justificando que a indiscutível presença do México na coleção deveria ser vista como um símbolo de seu amor pelo país e pelo trabalho tão incrível feito ali. Fica evidente que mais uma vez a apropriação cultural é reduzida a uma homenagem, desconsiderando que para os povos originários esses elementos contribuem para a manutenção de sua identidade e resistência, e não são apenas componentes estéticos.

O governo do Japão foi ainda mais contundente e resolveu enviar autoridades de patentes aos Estados Unidos para debater a polêmica a respeito da grife de roupa íntima "Kimono", da celebridade Kim Kardashian.[37] Mesmo tendo desistido do nome, a empresária não escapou das críticas dos japoneses, que consideraram o uso do termo desrespeitoso. O ministro do comércio Hiroshige Seko quer "um exame cuidadoso" da questão e deve tratar juridicamente o possível registro da marca. De acordo com o ministro, o quimono, que significa "coisa que é vestida", é visto em todo o mundo como parte distintiva da cultura japonesa, usado em ocasiões formais, como casamentos e funerais. Apesar das "boas intenções" de Kim Kardashian, muitas pessoas avaliaram o caso como um "roubo de cultura tradicional".

O exemplo brasileiro vem do maior quilombo do país, o Território do Sítio Histórico e Patrimônio Cultural Kalunga, localizado entre os municípios goianos de Cavalcante, Monte Alegre e Teresina de Goiás, e envolve uma disputa entre o famoso chef Alex Atala e os produtores locais pela propriedade da Baunilha do Cerrado.[38] Os quilombolas acusam o chef de ter registrado o nome da matéria-prima no Instituto Nacional da Propriedade Industrial (Inpi). Atala diz que tomou a decisão para preservar o projeto e proteger a baunilha de um risco de exploração descontrolada em estado selvagem, cumprindo, assim, o convênio com a Fundação Banco do Brasil. A conceituada chef Carmen Virginia pronunciou-se em sua rede social em defesa dos quilombolas, classificando o fato como apropriação cultural. Conforme escreveu:

> *Como boa filha de Xangô, eu sou pela justiça. O que é certo pra mim é que eu, como guardiã dos saberes ancestrais do meu povo, não posso me calar diante do sofrimento secular que vivemos! Esse é meu lugar de fala e eu não abro mão ao direito de falar sobre a apropriação de alguns chefs a culturas que não são as deles! É muito fácil ter grana pra via-*

jar, estudar nas melhores escolas, aprender técnicas, chegar com sua dolma branca e vir para os nossos terreiros, nossos quilombos, nossas aldeias em busca do nosso tesouro! A nossa sabedoria é nosso maior tesouro! Sei que eu já ajudei a alguns que vieram me procurar, confesso que caí na armadilha do "eu te mostro o caminho, em troca você me divulga". (...) Sou famosa, muitos me amam, mas não consigo ter um mês em que eu não tenha que me preocupar com as contas a pagar e o medo de fechar meu restaurante me acompanha sempre. Já eles, os privilegiados, estão escrevendo livros, estão fazendo jantares caros, estão dando palestras a custo de ouro, estão com projetos, em museus, estão ganhando dinheiro com uma cultura que não lhes pertence. Antes de ser do Brasil, desculpa usada por eles, isso vem de um povo, o povo preto, índio! Está achando que é mimimi? Enumere aí a quantidade de chefs pretos com notoriedade desse país. Enumere as mulheres pretas. A desigualdade está aí! A perversidade está nos números. (...) Que Exu tome conta, preste conta e feche o caminho, impedindo a entrada dos maus corações nos meus quilombos, favelas e terreiros!

No mundo inteiro, a legislação e o sistema jurídico vêm refletindo sobre essas questões. Há alguns artigos e estudos discutindo a proteção dos conhecimentos das populações tradicionais, pautados não somente na relação com a preservação de recursos naturais, mas também na proteção da propriedade intelectual.[39] Como vimos, a apropriação cultural passou a ser também uma demanda de Estado, levando governos a contestar o registro de marcas e patentes e a reivindicar de forma oficial os direitos de povos tradicionais. As normas internacionais, incorporadas pelo sistema jurídico brasileiro, têm tratado o tema com grande consistência de fundamentos e de validade, estabelecendo mecanismos de proteção jurídica aos diversos elementos culturais, materiais e imateriais que compõem o testemunho da intervenção humana sobre a natureza.

Entre indígenas do México, tradicionalistas do Japão e quilombolas brasileiros há um sentimento comum de pertencimento e identidade que encontra em suas respectivas culturas uma forma de reivindicar seu direito à vida. É por isso que reagem quando a indústria da moda se apropria e esvazia de sentidos elementos que contam sua história e remetem aos valores e elos de seu grupo, reduzindo-os a simples peças de vestuário vendidas muitas vezes a preços exorbitantes.

O termo "descolado", utilizado para se referir a tudo que é moderno e está na moda, talvez revele, no fundo, falta de conexão, ruptura ou mesmo desprezo pela origem do produto e pelo povo que o criou. Pode também funcionar em sentido contrário, quando alguém se "descola" de sua própria tradição se apropriando de outras. Não por acaso pessoas brancas "de esquerda" querem se "descolar" de seu papel histórico de opressor por meio da apropriação estética de elementos tradicionais dos oprimidos, inventando para si uma nova "identidade" (provavelmente para lidarem com a "culpa" que vem com os privilégios).

No Brasil, a apropriação de símbolos indígenas e negros é praticamente uma regra desde o descobrimento. Essas culturas ainda passam por toda sorte de perseguição, como comprovam os ataques a terreiros de candomblé e o assassinato de caciques em aldeias invadidas por garimpeiros. Mesmo assim, há quem não veja problema algum em usar um turbante ou um cocar só porque acha bonito, "descolado". A objetificação de corpos negros e indígenas, a hipersexualização e a estigmatização seguem desumanizando esses povos, uma vez que não reconhecem a importância de suas vidas e menos ainda de seus elementos culturais.

Reduzir a identidade de um grupo a um simples acessório é um dos problemas mais graves da apropriação. Além disso, muitas vezes esses componentes culturais são comercializados com uma considerável margem de lucro, porém nenhum recurso é repassado aos povos que os criaram. Os casos recorrentes entre comunidades indígenas e quilombolas ilustram bem a situação, embora a organização de cooperativas procure, em algumas situações, responder às demandas do mercado. Contudo, transformar elementos culturais em produtos atende a interesses bem diferentes daqueles difundidos no grupo originário e gera uma contradição, que nem sempre se equaciona com uma alteração ou ampliação no modo de produção. A inserção da lógica capitalista nessas comunidades converte seus membros em explorados, meros vendedores da força de trabalho que alimenta o lucro do sistema. Uma análise de Nascimento sobre os terreiros de candomblé parece bastante oportuna:

> O caráter Olojá de Exu pode trazer imagens interessantes para que possamos pensar em modos de entender as relações humanas quando atravessadas por trocas econômicas e que não necessitem simplesmente ser expropriadoras e violentas, sobretudo quando pensamos no contexto dos povos e comunidades tradicionais de matrizes africanas que, em nosso país, vivem a fronteira entre dois mundos: o legado pelas tradições africanas e o lançado pelo encontro com o mundo ocidental que se moderniza e estabelece outras relações com o trabalho e a economia. (2016:31)

Mais do que um elemento de identidade, a herança cultural de determinado grupo deve ser definida como uma espécie de marca, um símbolo que o distingue de outros povos, tornando-se um patrimônio político e uma estratégia fundamental de resistência e afirmação social diante das culturas dominantes. No entanto, alguns teóricos, como Pierre Bourdieu, acabaram desconsiderando as questões raciais ao analisar os hábitos da sociedade de consumo. Angela Davis já demonstrou que raça, classe e gênero são conceitos imbricados, o que nos permite inferir que a luta da população negra contra a discriminação e as desigualdades, em qualquer parte do mundo, é atravessada por todas as particularidades da ideologia capitalista, especialmente se a considerarmos como uma continuidade do colonialismo.

Aquele que se apropria, via de regra, descaracteriza o valor simbólico e a representatividade de uma cultura, espoliando sua originalidade e desvirtuando seu sentido político. No capitalismo, para que um produto alcance o sucesso, precisa passar por uma depuração, por um esvaziamento de significados. Quando a classe dominante vê um elemento da cultura popular como exótico, por exemplo, não se trata apenas de uma questão estética, de um simples "gosto pelo diferente". Na verdade, o desafio de explicar politicamente a apropriação cultural passa pelo viés ideológico e pode levar em conta alguns projetos de Estado, principalmente em regimes autoritários ou nacionalistas, que escamoteavam sérios problemas sociais por meio de uma "valorização" das culturas populares e, assim, desmobilizavam qualquer tipo de resistência. Foi esse tipo de estratégia que alimentou o mito da democracia racial brasileira.

Pensando na diáspora negra, Stuart Hall chama a atenção para as transformações socioeconômicas mundiais, entre elas o deslocamento dos modelos culturais europeus e de suas práticas e formas de consumo. Quando os Estados Unidos se tornaram uma potência, passaram também a ser um centro de produção e circulação de cultura. Além disso, os efeitos da luta por direitos civis no terceiro mundo somaram-se aos movimentos de descolonização, promovendo uma relação mais solidária com os colonizados e suas produções culturais. Essas reflexões de Stuart Hall integram-se às de Michel Maffesoli, que aborda o processo de tribalização do mundo como uma reconfiguração das práticas, propósitos e estratégias políticas de classes e grupos sociais, e ajuda a entender a apropriação cultural no contexto do capitalismo.

Reduzir as desigualdades sociais deveria ser o grande desafio de qualquer ordenação política ou econômica. O abismo que separa negros e brancos na sociedade brasileira tem reflexos nas instâncias jurídica, acadêmica, cultural, religiosa, na saúde e na educação. O racismo atravessa as instituições e ainda marca as subjetividades. O racismo não dá trégua e requer luta e atenção constantes, principalmente no que se refere às demandas da negritude e à manutenção das elites, que sempre governaram o país e seguem se beneficiando dos mesmos privilégios construídos no período colonial e escravista e consolidados no capitalismo moderno.

Culturas historicamente marginalizadas, como a negra e a indígena, reafirmam sua identidade ao requerer seus símbolos e criações e reinventar seus elementos de resistência. Quando Ana Lúcia Silva Souza (2011) revisitou Stuart Hall e Canclini para construir o conceito de reexistência, demonstrou que os movimentos culturais possibilitam ações que ajudam a repensar e a atribuir novos sentidos sociais às instituições. Compreendida como estratégia de luta, essa cultura de resistência, que atenta a uma busca de legitimidade política e ao combate às injustiças, é um contraponto à lógica capitalista, que retroalimenta a opressão e as desigualdades. Por esse motivo, quando a sociedade de consumo transforma em produtos os hábitos e expressões de grupos discriminados, é necessário que se avalie com critério suas intenções e desdobramentos.

É fundamental que não se perca de vista a origem dos componentes culturais. Em aldeias indígenas, candomblés, quilombos e outros territórios de resistência, a preservação dos símbolos e das representações serve como base para a reconstrução de identidades e ainda fortalece o sentimento de pertencimento e orgulho racial e a conscientização do valor e da riqueza cultural dessas populações. O fato de pessoas de outras etnias se inserirem nessas comunidades, o que é muito frequente nas religiões de matriz africana, é importante e ajuda a desenvolver uma reflexão crítica sobre a utilização dos elementos da cultura negra por grupos não negros.

Uma vez inseridos na lógica ocidental, é comum os terreiros reproduzirem certos privilégios sociais da branquitude e serem alvo de apropriação cultural, o que também se explica pela perspectiva do capitalismo, que substitui as relações de reciprocidade e cooperação pelas trocas comerciais com base na competição e no poder aquisitivo, dificultando o acesso do povo negro. De acordo com Stuart Hall, a cultura popular tem se tornado historicamente a forma dominante da cultura global, bem como a cena da mercantilização, das indústrias, nas quais a cultura penetra diretamente nos circuitos do poder e do capital. Em outras palavras:

> É o espaço de homogeneização em que os estereótipos e as fórmulas processam sem compaixão o material e as experiências que ela traz para dentro de sua rede, espaço em que o controle sobre narrativas e representações passa para as mãos das burocracias culturais estabelecidas. Às vezes até sem resistência. Ela está enraizada na experiência popular e, ao mesmo tempo, disponível para expropriação. Quero defender a ideia de que isso é necessário e inevitável e vale também para a cultura popular negra, que, como todas as culturas populares no mundo moderno, está destinada a ser contraditória(...) (2013:379)

O sistema capitalista pode alterar o sentido original de algumas culturas de acordo com seus interesses difusos. Em se tratando de grupos negros e indígenas, o posicionamento político de resistência tem sido fundamental, reafirmando o valor de suas práticas e produções até como processo de empoderamento. Pensar em uma noção de reapropriação política, na qual os valores culturais seriam usados como instrumentos de luta por direito e cidadania, é o que nos permite analisar as reações cada vez mais firmes, nos casos de apropriação cultural, como uma resposta a todas as formas de opressão e uma contestação do poder hegemônico.

A violência simbólica do capitalismo nada mais é do que uma releitura dos açoites da escravidão e representa a manutenção das estruturas de opressão e desigualdade sustentadas pelo racismo. Nesse sentido, a resistência cultural configura-se como uma estratégia política que proporciona experiências importantes para populações história e sistematicamente subalternizadas. Das rodas de samba, da capoeira e do candomblé vem um exemplo de luta tão marcante que, no pós-abolição, acabou despertando o medo das elites a ponto de usarem o rigor da lei e a repressão policial para combatê-la. Não satisfeitos, lançaram mão da apropriação cultural como forma de "colonizar" aquilo que não foram capazes de destruir literalmente. Nascimento demonstra bem a consequência do capitalismo no modo de organização dos povos tradicionais:

> As dinâmicas capitalistas de troca, visando cada vez mais acumulação, são nocivas para as heranças africanas para as quais a integração entre as muitas dimensões de expressão do axé busca sempre a manutenção dos vínculos comunitários e uma forma harmonizadora de resolução dos conflitos presentes no interior das comunidades. A competitividade

> individualizante é não apenas oposta às colaborações solidárias coletivas de caráter eminentemente recíproco, mas pode impedir que o aspecto socializante coletivista seja comprometido, ou mesmo, impedido. (2016:36)

Mais do que legítimas, as reações diante de uma capoeira gospel ou de um candomblé vegano são reações ao racismo. Uma "mulata tipo exportação" ainda é uma "peça" vendida no mercado como a carne mais barata.

Assim como nossos corpos, nossas criações e expressões culturais não são produtos, não estão disponíveis para que se consumam ao sabor das demandas capitalistas, dos desejos pelo exótico. Toda cultura de resistência merece respeito, principalmente porque ajudou a resguardar a vida de pessoas que nunca foram alçadas à condição de humanas.

PODE OU NÃO PODE?

Ibẹ̀rẹ̀ ki ikẹji eni ko sina. Eniti k olé bẹ́re, ni npón ara rè loju.
As perguntas livram as pessoas dos erros. Aquele que não pergunta entrega-se aos problemas.[40]

Aos povos negros e indígenas, em diversas partes do mundo, restaram dois territórios: o de segregação e o de resistência. Como sabemos, são, antes de tudo, territórios simbólicos constantemente ameaçados e invadidos por uma série de fatores, entre eles, a apropriação cultural. Mesmo do ponto de vista demográfico, podemos observar como a especulação imobiliária e os interesses do capital empurraram populações inteiras para margens territoriais e sociais. A formação das periferias e favelas demarca perfeitamente esse tipo de expropriação e nos ajuda a pensar na maneira como os bens simbólicos entram nesse jogo.

Depois de uma infinidade de polêmicas, muitos dos que vieram a público explicar e debater questões de apropriação cultural chegaram a conclusões bem parecidas. Talvez a mais importante seja o fato de que essas questões não se resolvem apenas com bom senso. Há quem use a liberdade de expressão, de consciência e de crença para invadir territórios simbólicos e justificar suas práticas preconceituosas e racistas. O caso do acarajé, que chegou a ser vendido nas ruas de Salvador como "bolinho de Jesus" é emblemático. Concretamente falando, a evangelização de aldeias indígenas é outro bom exemplo. A pergunta inevitável é: por que algumas pessoas se acham no direito de usar e dispor como bem entendem de alguns elementos culturais que não lhes pertencem? E mais importante: quem são essas pessoas?

No contexto brasileiro, e mesmo pelo mundo afora, há muitas pessoas brancas que participam e se integram a culturas discriminadas. É possível fazer isso sem se apropriar? Acredito que seja possível, mas alguns critérios devem ser observados, porque a linha que separa apropriação de integração nesses casos é muito tênue. O exemplo dos terreiros de candomblé, que em São Paulo já têm uma maioria branca, é bastante pontual.[41] É fundamental que uma pessoa não acredite que se torna negra porque frequenta terreiro, usa turbantes ou porque trança os cabelos. Em contrapartida, um negro sambista, afro-religioso ou capoeirista pode ter diversos estigmas reforçados por conta dessas práticas.

Portanto, a resposta para uma pergunta aparentemente fácil depende de um entendimento seguro sobre as formas como a apropriação cultural opera, especialmente com o reconhecimento de que se trata de um fenômeno estrutural, que não se resolve com a simples análise das escolhas de um indivíduo. Mais do que isso, é preciso compreender todo seu histórico e considerar uma série de fatores e critérios que podem ajudar a refrear os desejos despertados pela sociedade de consumo.

Afinal, o que "pode" e o que "não pode"? Quando pode? Quando não pode? Quando pode, mas não deve? Numa estrutura social marcada pelo racismo, pessoas negras não têm poder para decidir o que pessoas brancas podem ou não fazer. Portanto, a questão da apropriação não passa por esse âmbito do que pode ou não pode. O que se deve fazer é dar elementos para que se compreendam as estruturas do racismo e todos os dispositivos do colonialismo e do capitalismo. Essa talvez seja a chave para que se entenda o quanto algumas práticas aparentemente inocentes podem ser ofensivas. Quando elementos da cultura negra ou indígena se tornam tendência, quando viram moda, transmite-se uma falsa impressão de maior aceitação desses grupos. Como já vimos, nada disso contribui para a diminuição dos efeitos do racismo.

Utilizar elementos culturais negros ou indígenas como enfeites, como peças descoladas, não dá conta de dimensionar os significados que tais peças têm para aqueles que as usam por questões religiosas ou para reafirmar suas identidades. Entender as culturas negra e indígena como culturas de resistência é um parâmetro importante para saber o que pode ou não ser usado por pessoas de outras origens. O uso individual desses elementos reflete uma estrutura que diminui ou desconsidera sua importância social, cultural e histórica. Um turbante para um adepto do candomblé, ou melhor, um *ojá*, é um símbolo que remete à sua ancestralidade. Mesmo um branco iniciado no candomblé conhece o sentido e todas as significações de um *ojá*, que é um elemento sagrado e demarca um pertencimento, além de revalidar o terreiro como um território de resistência.

Quando um negro adquire uma posição de destaque e ascende socialmente, é comum algumas pessoas e até a mídia tomá-lo como exemplo para exaltar a meritocracia e mostrar que superou o racismo, como se a superação de um componente estrutural dependesse da ação bem-sucedida de um ou outro indivíduo. Enquanto isso, os casos gravíssimos de racismo que são denunciados todos os dias pelo povo preto, inclusive com um genocídio comprovado por dados estatísticos, dificilmente alcançam a mesma repercussão.

Muitos militantes das causas antirracistas avaliam que episódios como o do turbante da Thauane[42] são pontuais não só porque despertam um grande interesse da mídia, mas porque escancaram uma das características mais perversas do racismo: vozes brancas sempre são ouvidas. Não se trata apenas de discutir se é ou não apropriação cultural, o caso é um modelo de como o racismo opera nas estruturas da sociedade brasileira. Jornais, televisão, sites, redes sociais deram grande destaque ao ocorrido sem nem sequer apurar os fatos, denunciando como radical a indignação e a atitude das pessoas negras.

Um acontecimento muito comentado envolveu a então diretora de estilo da versão brasileira de uma importante revista de moda. Realizou-se em Salvador, numa sexta-feira, uma badalada festa de aniversário que tinha como mote e decoração diversos elementos da cultura afro-baiana que remetiam ao período colonial. Uma foto da *socialite* sentada em um trono de vime, também conhecido como "cadeira pavão", tendo ao seu lado duas mulheres negras trajadas com roupas de renda branca ao estilo dos terreiros fez lembrar uma cena do tempo da escravidão, quase uma gravura de Debret. A imagem viralizou com a notícia de que "a rica celebridade branca posava num trono de sinhá ao lado de duas mucamas". O episódio foi considerado ofensivo e racista e vários ativistas, intelectuais e artistas fizeram duras críticas, obrigando a revista e sua diretora a se manifestarem.

Em seu livro sobre provérbios, Mãe Stella de Oxóssi transmite grandes ensinamentos e alerta que "as perguntas livram as pessoas dos erros". Vale lembrar que, no dizer dos mais velhos, "no candomblé nada se ensina e tudo se aprende". É prática comum nos terreiros estimular a observação atenciosa de tudo. Algo que a sociedade mais ampla poderia aprender e aplicar, afinal, muitas vezes basta uma pesquisa relativamente simples sobre o componente cultural que se pretende utilizar para evitar qualquer tipo de constrangimento. Bom mesmo é questionar-se e, se não tiver elementos suficientes para decidir, perguntar a quem está autorizado a responder.

A premissa de que se tem direito ao uso é um atributo da branquitude. Isso faz com que a resposta precipitada, que por vezes soa como arrogante e quase sempre é inadequada, seja dada com pouca ou sem nenhuma reflexão, o que normalmente piora a situação. Às vezes, ouvir os argumentos dos que criticam, apesar do incômodo que sempre causam, é fundamental. A necessidade de rebater ou refutar acusações que se julgam injustas, mas que na verdade são avaliadas dessa forma a partir de um lugar de privilégio, aumenta o grau ofensivo e acirra os embates.

Voltando ao caso em questão, para se defender da acusação de racismo, a diretora da revista assume a prática da apropriação cultural, argumentando que não se tratava de uma cadeira de sinhá, e sim de mãe de santo. Ao confessar o uso indevido de um símbolo sagrado dos terreiros de candomblé, esvaziando completamente seu significado original, ela nos dá um exemplo de algo que nunca deve ser feito. Sendo mais direto, o que a faz pensar que tem o direito de se sentar numa cadeira de iyalorixá? Aliás, ela sabe por quantos ritos uma pessoa deve passar e o nível de legitimidade que precisa alcançar para se sentar numa cadeira dessas? Trata-se de um objeto cheio de significados e interdições, no qual ninguém pode se sentar, a não ser aquela que possui o cargo.

Ainda que seja um caso isolado, aparentemente individual, o episódio e todos os seus desdobramentos refletem um fenômeno estrutural, revestido de todos os padrões racistas e colonialistas que caracterizam a apropriação. É um típico exemplo da forma como a estrutura impinge as ações dos sujeitos. Ao tentar se defender de uma acusação, ela assume outra violação, tão grave quanto a primeira. Como se diz popularmente, a emenda saiu pior que o soneto.

Para se ter uma dimensão do que "pode" ou "não pode" é preciso avaliar o lugar social de quem faz uso de algum elemento de outra cultura. A posição que se ocupa, a classe social a que pertence, o grupo racial ou étnico ao qual se vincula, o grau de influência enquanto pessoa pública, além do contexto, tudo isso pode determinar, e desviar completamente de seus pensamentos originais, os efeitos de suas atitudes. Como já vimos, nem a "melhor das intenções", nem as mais "singelas homenagens" livram alguém do risco de cometer apropriação cultural.

Reconhecer limitações com modéstia e sem orgulho, buscar informações e se redimir é o que deveria fazer qualquer pessoa acusada de apropriação. É necessário ter humildade para responder com aprendizado e assumir o erro. Uma resposta arrogante sempre reitera o autoritarismo inerente às relações sociais e raciais, especialmente no Brasil. Contudo, quando se analisa as especificidades do capitalismo na sociedade de consumo, é preciso observar de que forma a indústria da moda ou o interesse de outros grupos pode estar interferindo nessas supostas escolhas individuais.

Apropriação cultural não diz respeito ao que pode ou não ser usado. Não é sobre branco não poder usar turbante, cantar samba ou jogar capoeira. A questão da apropriação cultural é sobre uma estrutura de poder. Há um poder instituído na sociedade desde a colonização que delega aos dominantes o direito de definir quem é inferior nessa estrutura e como se pode dispor de suas produções culturais e até de seus corpos. Quando essas culturas inferiorizadas e seus elementos são apropriados pela estrutura dominante, perdem as características de inferioridade e passam a ser considerados exóticos, principalmente quando têm o potencial de se tornar lucrativos ou são transformados em tendência, em moda.

Um instrumento de tortura utilizado durante a escravidão ou uma característica física não podem ser tratados como peças decorativas ou fantasias. Não se pode admitir que um capacho ou uma esponja de louças imitem o cabelo "black power", que uma máscara de tortura usada na escravidão vire acessório carnavalesco, que um atributo físico seja ressaltado como caricatura em programas humorísticos. Nos casos de apropriação cultural, há um aspecto político que deve ser enfatizado. Não se pode perder de vista que apropriação está associada à violência e ao racismo, portanto não consiste apenas em se apoderar de outra "cultura", mas em desvirtuar armas de resistência cultural de grupos historicamente subalternizados.

TURBANTES E AFINS

Tentar entender os significados ainda é o melhor parâmetro para saber o que pode e o que não pode em termos de apropriação cultural. Turbantes, tranças, dreads, cocares, elementos religiosos e étnicos em geral jamais deveriam ser adotados sem critérios, sem cuidado e sem respeito. O período colonial marcou violentamente as relações entre os europeus e os povos conquistados, o que comprometeu os limites de uso num processo de expropriação contínuo que invadiu inclusive os territórios simbólicos. Nesse sistema, componentes culturais foram saqueados e usurpados, povos inteiros foram explorados, literalmente exterminados ou dizimados por meio de um genocídio cultural que ainda persiste.

Para aqueles que descendem de povos histórica e sistematicamente oprimidos, que usam elementos de sua cultura como símbolos de resistência, para reafirmar ou reconstruir suas identidades, não deve ser fácil ver uma pessoa do grupo opressor utilizando-os simplesmente porque se tornaram tendência, são descolados ou estão na moda. Talvez essa imagem remeta à morte, à escravidão, à exploração, ao extermínio de milhões de indígenas e negros. Talvez faça lembrar a luta que ainda empreendem por suas terras e pela preservação de seus bens imateriais. A apropriação cultural foi uma estratégia que muitas vezes serviu de base para tudo isso.

Compreendemos que turbantes não são exclusividade da cultura negra. Muitos povos utilizam-no em várias partes do mundo, sendo comuns entre hindus e árabes. Contudo, em se tratando de Brasil, outros componentes emprestam aos turbantes memórias e significados bem mais profundos. Poucas pessoas sabem, por exemplo, que no período da escravidão, mulheres negras eram obrigadas por lei a esconder seus cabelos. Portanto, mais do que um hábito cultural, tratava-se de um instrumento de opressão que, devidamente ressignificado, de acordo com os padrões religiosos dessa população, passa a ser também um símbolo de resistência.

Mulheres negras usam turbantes desde a África, durante a escravidão e continuam usando ainda hoje, mas o "acessório" só se torna moda quando uma modelo ou atriz branca aparece na capa de uma revista e outros veículos, seguindo a tendência, fazem publicações semelhantes. Logo as imagens viralizam, grandes marcas começam a fabricar, shoppings passam a vender e aquele elemento cultural, repleto de significações para a afirmação da identidade e da luta de um povo, é completamente esvaziado de sentidos e comercializado sem nenhuma referência à cultura de origem.

Com esse exemplo, não queremos dizer que o uso de turbantes seja reservado a pessoas negras, mas que deveria ser restrito àqueles que conhecem seu significado. Há muitos brancos no candomblé que podem e devem usar seus turbantes, mas é bom que se diga que o fato de pessoas não negras usá-los nesses contextos não retira deles o peso do racismo e da intolerância religiosa e a ameaça da perseguição. Nesse caso, o racismo recai sobre o símbolo e não sobre o corpo, ou seja, despido desses símbolos, um branco deixa de correr o risco da discriminação, enquanto que num negro ele só reforça os estigmas e o perigo. Como explica Ana Maria Gonçalves:[43]

> Viver em um turbante é uma forma de pertencimento. É juntar-se a outro ser diaspórico que também vive em um turbante e, sem precisar dizer nada, saber que ele sabe que você sabe que aquele turbante sobre nossas cabeças custou e continua custando nossas vidas. Saber que a nossa precária habitação já foi considerada ilegal, imoral, abjeta. Para carregar este turbante sobre nossas cabeças, tivemos que escondê-lo, escamoteá-lo, disfarçá-lo, renegá-lo. Era abrigo, mas também símbolo de fé, de resistência, de união. O turbante coletivo que habitamos foi constantemente racializado, desrespeitado, invadido, dessacralizado, criminalizado. (...) O turbante que habitamos não é o mesmo. O que para você pode ser simples vontade de ser descolado, de se projetar como um ser livre e sem preconceitos, para nós é um lugar de conexão.

Para mulheres negras, os turbantes e o próprio cabelo natural são uma forma de afirmação política. Isso fica muito evidente quando se analisam algumas contingências diretamente relacionadas aos movimentos mais recentes de empoderamento[44] e resistência, sobretudo quando homens e mulheres negras de pele mais clara, que "passariam" por brancas com seus cabelos alisados, tingidos ou raspados, optam pelo cabelo crespo para reafirmar sua identidade. Negros e negras retintas, indisfarçáveis, podem também modificar seus cabelos para se enquadrar num padrão estético mais bem aceito, mas o tom da pele segue como um fator de preterimento e exclusão. Em síntese, moda e tendência passam, mas os problemas enfrentados pela população negra continuam e muitas vezes se agravam.

Uma negra com os cabelos alisados e pintados de loiro ou mesmo com uma peruca não pode ser comparada a uma branca de dreads, tranças ou black power. Primeiro porque uma mulher negra pode usar o cabelo que quiser e ainda assim vai continuar sendo negra e vivenciando todas as dores do racismo. Haja vista as histórias de mulheres ricas e poderosas, como Naomi Campbell, Oprah Winfrey, Michelle Obama, Glória Maria, Taís Araújo, entre tantas outras no Brasil e no mundo, que passaram por todo tipo de transição capilar, mas nunca foram confundidas com mulheres brancas.

É preciso admitir que ainda existe uma dominação cultural branca e eurocêntrica prejudicial a muitas mulheres negras, que se veem obrigadas, nos casos mais comuns, a modificar seus cabelos ou, em situações mais complexas, a se submeter a intervenções cirúrgicas ou tratamentos estéticos de clareamento de pele com sérios riscos à saúde. Portanto, não se pode comparar esse tipo situação tão aviltante e violenta aos casos de apropriação cultural. Um branco que põe um cocar e pinta a cara para brincar o carnaval age com desrespeito às pessoas e à cultura indígena. Em vez de falar em apropriação, é mais provável que uma negra de tailleur e cabelos lisos e loiros esteja passando por uma espécie de agressão. No mesmo sentido, um indígena de short, boné e celular não comete nenhum tipo de violência, porque elementos e aspectos de uma cultura dominante nunca foram símbolos de resistência.

Lembremos que, ao ser sincretizado com o diabo cristão, Exu tornou-se uma síntese da demonização de toda cultura negra. Uma regra que foi seguida em vários países colonizados que tiveram na escravidão a base de sua construção. Mesmo onde o culto a orixá não prevaleceu, diversos elementos negros foram condenados. A história dos dreads ilustra bem esse fato. Dreadlocks significava para os colonizadores ingleses "tranças ou cachos abomináveis" porque eram usados por um exército panafricanista de jamaicanos. Esses guerreiros não cortariam mais seus cabelos até que todos os negros em diáspora retornassem à África. Portanto, o entendimento do cabelo e do corpo como instrumentos de afirmação política, a exemplo do que acontece com os atuais "movimentos crespos", é um legado da ancestralidade, é memória, é resistência. Não se pode desconsiderar toda história e significados de um símbolo para transformá-lo em um simples acessório de moda.

Tranças, turbantes, dreads, roupas, insígnias e tecidos africanos continuam estigmatizados. Permanecem como alvos preferenciais de investidas racistas e delegam um território de segregação a pessoas negras ou mesmo brancas inseridas nesses universos culturais. Quem não entende os significados desses símbolos sempre vai incorrer em apropriação ou uso indevido, e não há nada que justifique essas atitudes. Todos devem se lembrar do caso da Thauane, que mobilizou as redes sociais e outros veículos por conta de se achar no direito de usar um turbante. A publicação no Facebook reverberou de tal forma que obrigou boa parte dos brasileiros a pensar sobre o tema da apropriação cultural. No dia 4 de fevereiro de 2017, Thauane postou uma foto de turbante com a seguinte legenda[45]:

> *Vou contar o que houve ontem, pra entenderem o porquê de eu estar brava com esse lance de apropriação cultural: eu estava na estação com o turbante toda linda, me sentindo diva. E eu comecei a reparar que tinha bastante mulheres negras, lindas aliás, que tavam me olhando torto, tipo 'olha lá a branquinha se apropriando da nossa cultura', enfim, veio uma falar comigo e dizer que eu não deveria usar turbante porque eu era branca. Tirei o turbante e falei 'tá vendo essa careca, isso se chama câncer, então eu uso o que eu quero! Adeus'. Peguei e saí e ela ficou com cara de tacho. E, sinceramente, não vejo qual o PROBLEMA dessa nossa sociedade, meu Deus.*

Na ocasião, muitos militantes negros apelaram para que a imprensa apurasse melhor os fatos, mas o depoimento de Thauane foi mais do que suficiente para se vender a narrativa de que as mulheres negras eram raivosas e cruéis. Assim como qualquer doença, um câncer não isenta ninguém de ser acusado ou de praticar apropriação cultural, nem racismo. No Brasil, aliás, nenhum branco admite esse tipo de acusação ou crime. Na verdade, sempre dizem que negros sofrem de vitimismo e complexo de inferioridade e por isso enxergam racismo em tudo. De qualquer forma, Thauane poderia simplesmente ter perguntado à mulher negra por que não deveria usar um turbante e, dessa forma, abrir um diálogo com grande possibilidade de aprendizado para ambas.

Ao afirmar "eu uso o que eu quero" e dar adeus, Thauane não só se fecha para uma conversa, como reafirma seu lugar privilegiado de mulher branca, que se recusa a ouvir qualquer argumento vindo de uma pessoa negra. Muitos se manifestaram de forma crítica à atitude de Thauane, alguns enfáticos e ácidos, outros mais afáveis e cordiais, afinal, era preciso exercitar empatia com uma vítima de câncer.

Houve ainda uma enxurrada de mensagens de apoio, inclusive com a difusão de *hashtags* do tipo "vai ter todos de turbante sim" ou "vai ter branca de turbante sim". Já vimos como opera o "pacto narcísico da branquitude", demarcando, quase sempre com arrogância, um lugar social de supremacia.

Demonstrando pleno entendimento do conceito de lugar de fala, Eliane Brum escreve um artigo em forma de carta, direcionado à Thauane.[46] Uma análise sensível e sensata do episódio, mas principalmente um exemplo de como pessoas brancas podem e devem contribuir no debate antirracista. Ao recordar que a noção de branqueamento foi o foco das políticas de imigração do século XIX no Brasil, Brum reconhece seu lugar de privilégio e lança o conceito de existir violentamente para falar dos lugares sociais de negros e brancos. Nas suas palavras:

> Percebo que já me insiro neste mundo pela experiência de "existir violentamente". Como para mim é mais difícil vestir a pele de uma mulher negra, porque por ser branca eu tenho menos elementos que me permitem alcançá-la, eu preciso fazer mais esforço. Não porque sou bacana, mas por imperativo ético. E a melhor forma que conheço para alcançar um outro, especialmente quando por qualquer circunstância este outro é diferente de mim, é escutando-o. Assim, quando ouvi que não deveria usar turbante, entre outros símbolos culturais das mulheres negras, fui escutá-las. Acho que isso é algo que precisamos resgatar com urgência. Não responder a uma interdição com uma exclamação: "Sim, eu posso!". Mas com uma interrogação: "Por que eu não deveria?". As respostas categóricas, assim como as certezas, nos mantêm no mesmo lugar. As perguntas nos levam mais longe porque nos levam ao outro.

Pensemos no caso de uma pessoa famosa e rica, branca, loira e de olhos azuis que um dia resolve trançar seus cabelos no melhor estilo africano. Será que, ao adotar esse penteado, ela vai enfrentar os mesmos preconceitos que uma pessoa negra enfrenta não só pelo estilo, mas pelo simples fato de existir? Sabemos que não. A questão pode ser mais complexa se pensarmos num outro conceito que vem se formatando: o de "afro-oportunismo" ou "afro-conveniência". Nesse sentido, o caso concreto da cantora Anitta parece pontual. A artista já aderiu a dreads e tranças, além de incorporar vários elementos da cultura negra em seus clipes. A pele bronzeada é usada pelos fãs como justificativa diante das denúncias de apropriação cultural, assim como sua suposta ligação com o candomblé. A cantora, no entanto, nunca se autodeclarou negra, tampouco assumiu sua religião, sendo constantemente acusada de tentar parecer negra por uma questão de modismo ou marketing.

Nada se compara, no entanto, à coragem de Daniela Mercury, que a plenos pulmões, do alto de seu trio, segue cantando em Salvador: "a cor dessa cidade sou eu". A música pode até ser considerada uma ode à apropriação cultural e a cantora ainda se autodeclara uma "preta de pele branca". A exemplo de Vinícius de Moraes, que se intitulava o "branco mais preto do Brasil", com seus afro-sambas falando de orixá e exaltando as famosas mães de santo da Bahia, a cantora tem uma contribuição inegável à cultura negra, mas extrapola em palavras e atitudes e muitos a recriminam porque acreditam que ela brinca de ser negra. Daniela Mercury chegou a usar uma peruca black power no carnaval de 2017, numa pretensa homenagem a Elza Soares.

Perguntado em entrevista ao site Bahia.Ba sobre racismo no axé music, o maestro Letieres Leite afirmou ter testemunhado como opera a supremacia branca e a usurpação da indústria cultural brasileira, a qual visa preencher todos os espaços musicais construídos pela população negra com a cor de pele branca:

> Se Margareth [Menezes, grande cantora de axé music negra] fosse branca, não existiria Daniela Mercury. Daniela Mercury entrou pra ocupar o espaço que Margareth tinha levantado. Margareth levantou a bola, quando foi cabecear, empurraram-na, e botaram Daniela no lugar pra cabecear. Eu estava na época aqui e eu vi".[47]

A dificuldade em admitir o racismo, tanto o do país como o próprio, impede que se saiba mais sobre a forma como age na sociedade e nas pessoas. Como diz a jornalista Eliane Brum, "às vezes somos racistas sem saber que somos". Palavras, gestos, atitudes e pensamentos estão muitas vezes impregnados de racismo, que se utiliza de diversos meios de atuação, entre eles, a apropriação cultural. Acreditar que o uso de um turbante ou de um cocar é uma homenagem, que negros e indígenas vão se sentir lisonjeados com ações que muitas vezes os desumanizam, julgar que pode decidir o que é melhor para um grupo ao qual não pertence só reitera uma ideia de superioridade. É oportuno, então, lembrar Stuart Hall, que diz:

> Se o pós-moderno global representa uma abertura ambígua para a diferença e para as margens e faz com que um certo tipo de descentramento da narrativa ocidental se torne provável, ele é acompanhado por uma reação que vem do âmago das políticas culturais: a resistência agressiva à diferença; a tentativa de restaurar o cânone da civilização ocidental; o ataque direto e indireto ao multiculturalismo, o retorno às grandes narrativas da história, da língua e da literatura (os três grandes pilares de sustentação da identidade e da cultura nacionais); a defesa do absolutismo étnico, de um racismo cultural que marcou as eras Thatcher e Reagan, e as nova xenofobias que estão prestes a subjugar a Europa (2013:377).

Apoderar-se de símbolos tradicionais e transformá-los em mercadorias, em produtos que serão comercializados, numa lógica capitalista, como itens de moda ou objetos de consumo, é o efeito mais grave e perverso da apropriação cultural. As estratégias do sistema pressupõem que a dominação prevaleça e que se possa dispor desses bens sem nenhum tipo de referência ou reparação aos povos que os criaram e mantiveram. A rigor, a grande questão da apropriação não reside na prática de usar turbante, dreads, tranças, cocares ou qualquer outro elemento cultural, mas no fato de adotá-los sem a menor consciência de que seus significados estão para além da estética, ou seja, possuem um valor simbólico, seja religioso ou de crença, seja de status ou posição social, em suas respectivas comunidades. Evocam uma história de luta e resistência que merece consideração e respeito.

SAMBA E BOSSA NOVA

Hilária Batista de Almeida, a famosa Tia Ciata, é considerada a grande mãe do samba. Era iyalorixá e, como uma boa filha de Oxum, excelente cozinheira. No quintal de sua casa, na Praça Onze, no Rio de Janeiro, nasceu o samba como gênero musical genuinamente brasileiro. Esse ritmo representa o país no mundo inteiro e tornou-se um verdadeiro patrimônio nacional.

Como cantou o mestre Nelson Sargento, "samba, negro, forte, destemido, foi duramente perseguido na esquina, no botequim, no terreiro". Os tempos de resistência foram duros e é preciso ressaltar que talvez não exista no mundo um caso tão gritante de apropriação cultural. Continuando nos versos do velho mestre, "mudaram toda sua estrutura, te impuseram outra cultura e você nem percebeu". Mais do que abraçar e envolver, talvez a tal "fidalguia dos salões" tenha de fato engolido o samba.[48]

De "coisa de malandro" e "caso de polícia" a patrimônio da humanidade, qual é a realidade do samba? Quando passou a ser um gênero musical interessante e rentável? Talvez a reposta esteja com outro grande mestre, Geraldo Filme, nos versos da música "Vá cuidar da sua vida":

> Crioulo cantando samba
> Era coisa feia
> Esse negro é vagabundo
> Joga ele na cadeia
> Hoje o branco tá no samba
> Quero ver como é que fica
> Todo mundo bate palma
> Quando ele toca cuíca

"Branco na poesia, preto demais no coração", diria Vinícius de Moraes.[49] Tornou-se o samba um "negro de alma branca"? Das rodas de candomblé do Recôncavo Baiano para o terreiro de Tia Ciata, um ritmo tão negro quanto todos os batuques espalhados Brasil afora. Música e poesia de protesto a denunciar a pobreza dos morros cariocas ou as mazelas das favelas paulistanas.

"A tristeza que balança", cantando o sofrimento, as dores da escravidão, a fome, a miséria e a exclusão social. Passando pelos jongos, os pontos, as ladainhas; pela fé em São Benedito e Bom Jesus de Pirapora; pela força de Ogum e Iansã. Será o samba o maior símbolo de identidade nacional? Talvez, mas, de acordo com Carlos Lyra, "foi se misturando, se modernizando e se perdeu".⁵⁰ Se as estratégias do racismo recaem sobre a cultura, o samba ressente um mal profundo, muito bem traduzido na música de João Gilberto: "vamos acabar com o samba, madame não gosta que ninguém sambe".

A apropriação de ritmos negros é um fenômeno mundial, do rock americano ao tango argentino. A profusão de gêneros no Brasil, começando com o samba e o pagode, mas passando pelo axé music e o sertanejo, pela musicalidade regional do Norte/Nordeste e do Sul/Sudeste, até chegar no hip-hop, rap e no funk carioca, é marcada pela influência negra. Alguns avaliam a bossa nova como uma sofisticação do samba, mas analisando letras, depoimentos e o perfil de seus expoentes, percebe-se que foi muito mais uma tentativa de depuração, o que a enquadra perfeitamente no conceito de apropriação cultural.

Samba sempre foi coisa de marginal e mesmo quando deixou de ser perseguido e passou a ser considerado um patrimônio de todos recebeu pouco ou nenhum incentivo da sociedade ou do poder público. A maneira como as rodas de samba eram reprimidas e dispersadas, a dificuldade que tantos sambistas tiveram para ganhar alguma coisa com suas composições e a vulnerabilidade social a que estavam submetidos ainda hoje se reproduz com outras manifestações da cultura popular negra, como o funk carioca, que sofre uma perseguição policial sistemática, inclusive com alguns de seus artistas e produtores acusados e até presos por associação ao tráfico.

O encarceramento da população negra,[51] enquanto projeto de Estado, passa necessariamente pela criminalização de sua cultura. A manutenção de alguns crimes no código penal brasileiro como vadiagem e charlatanismo, bem como toda a política de combate às drogas, visam reprimir as ações e a própria população negra. A desvalorização do samba e toda carga de preconceito com que sempre foi visto pela "refinada" elite brasileira mantiveram-no como um território de resistência, um refúgio para "vagabundos, cachaceiros e desocupados", um "antro" de tudo que "não presta". A bossa de João Gilberto ilustra bem a questão:

> Madame diz que a raça não melhora
> Que a vida piora por causa do samba
> Madame diz o que samba tem pecado
> Que o samba, coitado, devia acabar
> Madame diz que o samba tem cachaça
> Mistura de raça, mistura de cor
> Madame diz que o samba democrata
> É música barata sem nenhum valor

Esse samba traduz e, ao mesmo tempo, absorve todas as características negativas atribuídas ao negro. Não há dúvida de que, na letra da música, o samba recebe esses atributos exatamente por ser negro ou talvez seja uma metáfora do próprio negro. Parece que um dia, a bossa nova chegou para redimir o samba, e deu a ele um novo tom. Lembro-me de que no auge do pagode, nos anos 1990, surgiu um grupo que se chamava "A nova cor do samba", composto por jovens brancos de classe média. Não faltaram produtores para investir na banda, mas o talento não foi suficiente. Na bossa nova, o talento era incontestável, a indústria fonográfica fez uma grande aposta e ganhou rios de dinheiro.

Seria a bossa nova a nova cor do samba? Enquanto a bossa nova ganhava o mundo, onde estavam os sambistas? Do samba à bossa nova, o que mudou? Por que o samba foi relegado e a bossa nova se consagrou? Por que os cantores e compositores da bossa nova ficaram mais ricos e sambistas como Cartola e Nelson Cavaquinho morreram pobres? Por que tudo que o negro produz é considerado melhor quando um branco executa? Todas essas questões relacionadas ao samba evidenciam o racismo como a base da apropriação cultural.

Como já vimos, trata-se de uma estrutura de dominação que populariza elementos culturais de acordo com interesses de mercado ou, nesse caso, da indústria fonográfica, escolhendo entre pessoas brancas aquelas que julgam ter potencial para o sucesso. Uma tendência que segue se reproduzindo em outros gêneros, como a música baiana, o rap e o funk. Por que só os brancos despontam e se projetam nacional e mundialmente? O capitalismo segue operando com a mesma mentalidade colonialista e racista, continua definindo o que é bom como branco e o que é ruim como preto.

Ao falar de seu livro *Do Samba ao Funk do Jorjão* (2011), Spirito Santo cita o crítico musical canadense Gene Lees, autor de *Singers & Song II*,[52] no qual há um artigo intitulado "Um abraço no Tom", do qual extraiu uma declaração que, segundo ele, "denuncia a presunçosa arrogância elitista (claramente racista, diga-se) de Tom Jobim". Ao comparar a bossa nova ao samba, Jobim afirmou que:

> O samba autêntico negro do Brasil é muito primitivo. Eles usam talvez dez instrumentos de percussão e quatro ou cinco cantores. Eles gritam e a música é efusiva e maravilhosa demais. Mas a Bossa Nova é leve e contida. Conta uma história, tentando ser simples, grave e lírica. João e eu sentimos que a música brasileira soava exagerada como uma tempestade no mar, e queríamos torná-la calma, mais adequada à gravação em estúdio. Você pode chamar bossa nova de um samba limpo, lavado, sem perda do clima. Nós não queremos perder coisas importantes. Só temos o problema de como compor sem perder o balanço.

O historiador José Ramos Tinhorão traduz a compreensão racista e eugenista evidente que Antônio Carlos Jobim empreende em seu olhar ao samba. Tinhorão identifica o processo de colonização no modo de vida "americanizado" da juventude de Copacabana dos anos 1950, lugar e época onde o estilo foi gestado. O apagamento da cultura negra identifica a bossa nova como uma história de violência e também uma apropriação elitista distante dos elementos culturais fundantes do samba. "Eu tenho uma pena do Tom Jobim. Como pessoa era excelente. Mas tinha um equívoco fundamental: ele achava que compunha a música brasileira", ironizou Tinhorão em palestra na Flip de 2015.

Existem dois caminhos possíveis para os componentes da cultura negra: o da marginalização, que relega as produções a territórios de segregação e resistência, e o da depuração, que promove um esvaziamento de significados, apaga a história e faz todo tipo de concessão ao sistema. O depoimento de Jobim só comprova que o movimento bossa nova se apropriou do samba, desconsiderando anos e anos de perseguição e toda luta empreendida para preservá-lo. Ao alcançar um sucesso mundial, com um notável retorno financeiro, não se oferece nenhum tipo de referência ou contrapartida aos sambistas negros e pobres do morro, que acabaram na miséria. Isso quer dizer que branco não pode cantar samba? Mas é claro que pode. O que não pode é promover uma "limpeza" e negar sua origem. Não pode esquecer Tia Ciata, Donga, João da Baiana, Pixinguinha e todos os que colocaram a própria vida em risco para preservar o gênero musical que identifica o Brasil no mundo.

A história da população negra antes e depois da abolição é marcada por uma perseguição sistemática. A criminalização do candomblé, da capoeira e do samba é um fato que não deveria ser desconsiderado porque, em certa medida, ainda prossegue na mesma proporção que o racismo alinha as estruturas de nossa formação social. É inegável que a inserção de pessoas brancas no mundo do samba possibilita a ocupação de outros espaços no Brasil e no mundo. A questão não está no fato de um branco cantar samba, mas nas circunstâncias deliberadas que o transformaram numa marca de identidade nacional, num patrimônio de todos, apagando ou desconsiderando sua criação e essência enquanto uma das expressões mais originais da cultura negra.

Alguma dúvida de que Cartola e Nelson Cavaquinho são tão geniais quanto Vinícius e Tom Jobim? Alguma contestação da bossa nova enquanto movimento musical legítimo e fundamental para a cultura brasileira? O foco da crítica não deve recair apenas sobre a música, nem sobre os cantores ou compositores, mas sobre a indústria que atuou de forma racista ao se apropriar de um ritmo, excluir seus representantes e apagar completamente sua história. É natural e louvável que todo brasileiro goste e queira cantar ou compor samba, isso está longe de ser apropriação cultural. A questão é que numa estrutura racista o talento de sujeitos negros e marginalizados nunca é reconhecido, portanto, o que se configura como apropriação cultural é o apagamento das produções e dos produtores, com a inerente depuração de seus traços e elementos de origem negra, submetendo-o aos moldes e padrões da cultura hegemônica, branca, elitista e, sobretudo, racista.

Caetano Veloso diria que "Narciso acha feio o que não é espelho". O samba sempre foi popular, talvez seja esse o maior problema, talvez seja o que levou a indústria musical a uma tentativa de sofisticação e transformação não só de sua estrutura, mas da maneira como era vivenciado nos territórios negros. Era preciso atingir outras camadas, era preciso torná-lo palatável, apresentável, era preciso mudar a roupagem e a cor do samba. Era preciso falar mais de amor, de saudade e de beleza do que de mazelas, violência e injustiças.

A verdade é que preto cantando samba sempre incomodou, especialmente pelo tom de denúncia das letras ou pela exaltação de uma tradição considerada primitiva, mas a bossa nova, na introspecção de "um banquinho e um violão", traduzia os sentimentos "nobres" e "refinados" da democracia racial brasileira, ou seja, de um projeto de nação cada vez mais branca na população e na cultura. Nas palavras de Ney Lopes e Luiz Antonio Simas:

> Esse samba tão marginal quanto atraente e sedutor era o samba urbano carioca, recém-nascido no bairro do Estácio. Percebida, na década de 1930, em todo o seu potencial motivacional e aglutinador, essa música acabou por ser utilizada como a trilha sonora preferencial das ações do governo – mais ou menos da mesma forma que, por volta da década

> de 2000, o hip-hop e o funk transnacionais passaram a sonorizar as ações pró-cidadania nas comunidades excluídas e carentes dos guetos e periferias. Observemos, entretanto, que à época do aparecimento desse samba e da instituição escola de samba, surgida logo após, a elite brasileira e as instâncias de poder por ela legitimadas ainda viviam o sonho alegadamente eugênico do branqueamento físico da população nacional. Assim, as manifestações menos ou mais africanizadas, pela origem, eram, quando muito, toleradas ou estruturadas como "folclore". (2015:12)

Desde quando "o chefe da polícia pelo telefone mandou avisar",[53] em 1916, que o samba começaria uma trajetória de sucesso e ainda mais resistência, muitos cenários e personagens foram se sucedendo. O surgimento das escolas de samba, blocos e cordões carnavalescos, a ascensão de novos movimentos, compositores e cantores, a participação efetiva de mulheres em todo processo, as divergências regionais que tanto alimentaram rivalidades, as contribuições de brancos como Noel Rosa e Adoniran Barbosa. Enquanto expressão da cultura marginal carioca do século XX, o samba tem uma história consistente, um legado muito próprio e uma origem negra incontestável, que ajudam a reconstruir a memória cultural do Brasil.

Diferente do movimento bossa nova, carioca e elitista, o samba paulista, sobretudo o samba urbano de bairros tradicionalmente negros, como Barra Funda,

Casa Verde e Bixiga, tem referências bastante particulares que influenciaram grandes cantores e compositores. Temas cotidianos que retratavam as mudanças demográficas e a especulação imobiliária, o crescimento e os problemas sociais, a pobreza e sua cor retinta, as interações entre as diversas culturas que conviviam na cidade. Compositores como Geraldo Filme, Adoniran Barbosa, Zeca da Casa Verde, Talismã e Paulo Vanzolini são cronistas que observam e descrevem em suas músicas uma São Paulo cheia de contradições e mazelas, que serve de cenário para histórias de amor e injustiça, tragédias e desventuras, resignação e fé.

As músicas de Adoniran, por exemplo, traduzem em suas letras e na forma como foram interpretadas o jeito de falar "italianado" e as expressões tipicamente paulistanas dos bairros do Bixiga e da Mooca, sempre com bom humor e irreverência. Embora contraste com a própria história e contingências do samba, a maneira como Adoniran assimilou o ritmo, talvez por sua pouca instrução escolar, não pode, a meu ver, ser considerada apropriação cultural. É preciso lembrar que, para fugir do estigma da malandragem e da miséria, muitos sambistas negros utilizavam em suas composições uma linguagem culta, rebuscada, que expressava um desejo de alcançar reconhecimento e assumir outra posição social.

Portanto, a pretensa depuração proposta por Tom Jobim nunca foi novidade, aliás, "desde que o samba é samba é assim". Mesmo os sambistas do morro, nos primórdios do gênero, para alçar um lugar de credibilidade e respeito, foram obrigados a assumir certa erudição na linguagem, num processo de aculturação que supostamente emprestaria a suas músicas alguma dignidade.

Apesar de ser um homem branco de ascendência italiana, Adoniran Barbosa assumiu seu lugar de branco pobre, imprimindo originalidade a suas composições pela marcação rítmica da fala paulistana. O privilégio branco certamente lhe permitia um estilo coloquial, como erros de conjugação e concordância verbal, palavras truncadas e gírias, que provavelmente seriam vedados a compositores negros. Analisada no contexto histórico do samba, a obra de Adoniran Barbosa revela não só a importância social da linguagem, mas os significados intrínsecos de seu uso para negros e brancos, ajudando a perceber como os conceitos assimilação cultural e aculturação devem ser aplicados.

Apontar os privilégios da branquitude na construção da carreira de Adoniran Barbosa não indica uma tentativa de apropriação cultural. Ao contrário, traduz por meio da linguagem um discurso que se alinha à vocação mais original do samba, qual seja: denunciar os problemas sociais e reivindicar cidadania e direitos. Da "saudosa maloca" ao "despejo na favela", das rodas de samba do Bixiga à Casa Verde, da morte trágica de Iracema à compra do lote no alto da Mooca, a exclusão social do preto e do pobre expõe os dramas cotidianos de um país.

Qualquer pessoa que ouvir "Trem das onze", em qualquer lugar do mundo, reconhecerá a marca indelével de um samba paulista e todas as significações que evoca. Em contrapartida, um samba que exalta a paisagem do Rio de Janeiro vista de um avião nos anos 1960, apesar de lindo, expressa uma inspiração elitista e privilegiada, jamais poderia ser escrito por um compositor do morro.

Em termos de música, o grande problema da apropriação cultural não está só no fato de brancos se apoderarem dos estilos e gêneros dos negros. Todas as condições sociais impostas pelo racismo, inclusive a opressão sistemática que a população negra sofria, levou a indústria musical dos anos 1950/60, no Brasil e no mundo, a dar preferência a artistas brancos, desconsiderando a origem negra de muitos ritmos e canções. Isso gerou algumas questões graves, desde gêneros musicais que foram relacionados exclusivamente a brancos (como o rock), até a recriação de ritmos com uma roupagem mais depurada e refinada (como fez a bossa nova com o samba). Além das consequências financeiras, há um impacto ainda mais profundo na construção da autoestima e subjetividades das populações negras.

A relação entre samba e bossa nova exprime uma história de exclusão e demonstra as sutilezas com que o racismo opera no Brasil. Revela as estruturas de uma sociedade que obriga o negro a criar estratégias de resistência para si e para suas produções culturais. A visão limitadora com que o samba sempre foi visto, reduzido à folclorização e profundamente menosprezado, possibilitou esse processo de apropriação que só aprofundou o abismo das questões raciais. O samba sobrevive porque malandragem e jogo de cintura sempre estiveram entre suas maiores qualidades. "Agoniza mas não morre" porque a força de sua origem inspira a luta que renova sua identidade a cada dia.

Desde que Xangô libertou Ayô, o orixá do tambor, e inscreveu com som o épico das insurgências negras, o encanto se fez canto e a nobre oração que o corpo executa trouxe alegria à lida dura do cais, da estiva. Impregnados de suor e sangue, os atabaques ressoam o ritmo da ancestralidade, embalando o nascimento de uma nação que canta suas dores no balanço das ondas, na ginga dos passos, na gravidade dos tons.

CAPOEIRA GOSPEL

"Eh, viva meu mestre, camará!" Afinal, capoeira é luta ou é dança? Como sempre diz Djamila Ribeiro, "os senhores de escravos achavam que era uma dança, mas nós sempre soubemos que era uma luta". Poderíamos considerar que hoje a capoeira junta o esporte à cultura popular, com música, dança, ginga e muita história. Aliás, quem não conhece a história da capoeira nem deveria ser considerado capoeirista, uma vez que todos os significados impressos em seus instrumentos, cantigas, no nome dos golpes e indumentárias fazem parte de um aprendizado que impõe respeito à tradição e aos mais velhos.

Na capoeira tem muito de samba e muito de candomblé, ou seja, é também um território de resistência que pode contribuir para os desafios da diáspora negra em várias partes do mundo. No Brasil, a capoeira já foi considerada crime e perseguida de maneira ostensiva. Os piores estigmas e preconceitos eram associados aos capoeiristas. Mesmo com o fim da repressão policial, a prática continuou sendo malvista e por muito tempo a arte foi transmitida discretamente apenas nas comunidades, às vezes de pai pra filho. Os versos de Geraldo Filme demonstram que, assim como o samba, a capoeira só foi aceita quando os brancos passaram a se interessar.

> Negro jogando pernada
> Negro jogando rasteira
> Todo mundo condenava
> Uma simples brincadeira
> E o negro deixou de tudo
> Acreditou na besteira
> Hoje só tem gente branca
> Na escola de capoeira[54]

Talvez a tal "capoeira gospel" seja o exemplo mais acintoso de apropriação cultural. Chega a ser triste para quem conhece um pouco de sua história aceitar que algo desse tipo possa acontecer. Mais triste ainda para quem sabe que a capoeira é a grande expressão da resistência negra a toda degradação que a escravidão nos impôs. Capoeira é luta, é um movimento de reação à humilhação, à chibata. Capoeira é insurreição, é revolta.

Capoeira gospel é um desrespeito à presença de Mestre Bimba e Mestre Pastinha, de João Grande e João Pequeno, de Curió e Camafeu de Oxóssi. É o mesmo que perseguir e matar novamente Mestre Besouro. Capoeira gospel é estratégia de genocídio, é o mesmo que condenar a cultura negra ao extermínio, porque capoeira é não é só luta, não é só dança, não é só música, não é só toque. Capoeira é tudo isso junto, é história viva e dinâmica que segue ensinando ao negro a ginga para se esquivar dos golpes da sociedade. Capoeira gospel é uma desonestidade, é uma faca de ticum cravada nas costas de um povo inteiro.

É bom lembrar a história desse capoeirista legendário que ainda hoje é cantada nas rodas de capoeira do Brasil e do mundo. Manoel Henrique Pereira nasceu em Santo Amaro da Purificação, no Recôncavo Baiano, em 1895. Conta a lenda que quando entrava em alguma enrascada ou era perseguido por policiais transformava-se em besouro e fugia voando. Outros dizem que podia voar por meio dos seus golpes, por isso foi batizado como Besouro Mangangá. Graças a essas habilidades tornou-se um dos maiores ícones da capoeira. Besouro desafiava a todos e parecia invencível. Teria o corpo fechado e nenhuma arma poderia feri-lo. Foi morto pela polícia em 1924 com uma perfuração no abdome. Conforme as histórias cantadas nas rodas de capoeira, o ferimento foi causado por uma faca de ticum, a única madeira que pode matar alguém com o corpo fechado.

Não se pode esquecer que antes da capoeira ganhar o mundo e se tornar aceitável e atrativa, corpos negros tombaram à bala. Portanto, atabaque e berimbau, meu camará, cantam fatos sangrentos que expressam a coragem e a força que forjaram a identidade de um povo. "Zum zum zum, zum zum zum, capoeira mata um!"[55] Nem a faca de ticum que matou Besouro Mangangá daria conta de eliminar tamanha injustiça. Capoeira gospel é apropriação cultural elevada ao limite da crueldade e do desprezo a uma tradição, é uma fraude imensurável. Aquela noção colonialista e racista de que tudo que o negro produz pertence a todos e se pode dispor como bem quiser é o pano de fundo desse projeto torpe e imoral.

Quem já teve a oportunidade de assistir a uma roda de capoeira sabe que as cantigas reverenciam a cultura negra, seja enaltecendo a luta dos escravizados contra a opressão dos senhores, seja reverenciando os grandes mestres e suas histórias de resistência. Além disso, os orixás e seus correspondentes do sincretismo afro-católico são sempre lembrados. Ainda que a capoeira gospel mantenha berimbau e atabaque, substituir as tradicionais toadas por louvores ou trocar os nomes das divindades por "Cristo", "Jesus" ou "Senhor" esvazia, descaracteriza e altera completamente o significado dessa expressão cultural. A capoeira é um exercício de memória coletiva do povo negro, um patrimônio imaterial da humanidade. Jamais poderia ser transformada em instrumento de evangelização.

No Brasil, os cristãos, sobretudo os neopentecostais, têm empreendido uma campanha ostensiva de demonização da cultura negra. Sendo direto, eles seguem intensificando um recurso que sempre foi utilizado como estratégia do racismo. O advento dessa roupagem gospel tenta ressignificar componentes que já se popularizaram, mas são considerados "do mundo", ou seja, profanos. Assim, há versão gospel para quase tudo, e como os elementos culturais negros sempre foram vistos com uma carga negativa, vêm passando por essa espécie de "sacralização", uma limpeza que, no fundo, representa a eliminação dos traços afro-religiosos.

Os capoeiristas que se tornaram pastores classificam a capoeira como "um instrumento lindo de evangelização porque é alegre, descontraído, traz saúde, benefícios sociais". Existe um movimento intitulado "Capoeiristas de Cristo" que, segundo informações de seu líder, reúne cerca de cinco mil brasileiros e promove encontros nacionais desde 2004. Há uma estimativa de que já existam cerca de 30 "ministérios" de capoeira, com grupos ligados a igrejas evangélicas. A maioria dessas pessoas acredita que se trata de uma prática inocente e assume o caráter utilitário da capoeira, afinal, "o pastor com berimbau chega aonde o pastor de terno não chega".[56]

Se a capoeira serve aos interesses de conversão de certas denominações evangélicas, que continuam promovendo a demonização das religiões afro-brasileiras, intrinsicamente ligadas a essa arte, o desrespeito é notório não só na alteração das cantigas e na eliminação de outras tradições, como o batizado e a adoção de um apelido. Ao efetuar essa depuração tão repulsiva, essas igrejas se afastam dos próprios valores cristãos, incitando à intolerância e ao racismo religioso. A questão é tão grave que obrigou o Conselho Nacional de Políticas Culturais do Ministério da Cultura, por meio do Colegiado Setorial de Cultura Afro-brasileira, a se manifestar. Uma carta de repúdio à "capoeira gospel" condenava também a expropriação de expressões culturais afro-brasileiras. Um trecho do documento dizia:

> Temos lutado contra o racismo em suas diversas e perversas manifestações. A demonização perpetrada por pastores, mestres ou professores de 'capoeira gospel', ensinando o ódio e a intolerância contra as raízes da capoeira e contra seus praticantes não evangélicos, é um crime de ódio que fere a liberdade e a dignidade humana.

Muitos evangélicos acreditam que capoeira e macumba (nome genérico com o qual se reportam de forma pejorativa às religiões de matriz africana) são a mesma coisa. Não deixam de ter razão, pois, em decorrência da origem comum, essas expressões culturais da diáspora negra compartilham um mesmo *ethos*. O termo "gospel" teria sido usado para transpor a resistência de algumas lideranças cristãs, mas já vem sendo rechaçado por esses capoeiristas por conta de toda a polêmica em torno da apropriação cultural. Um posicionamento recente do líder do movimento "Capoeiristas de Cristo" procura contemporizar o debate:

> Não existe capoeira gospel! Não queremos bagunçar a capoeira. Nós respeitamos os mestres, respeitamos os fundamentos da capoeira, respeitamos as tradições, e vamos defender porque quem não defende a capoeira não tem direito de ser capoeirista. Minha cultura não atrapalha a minha fé.

Quem são os protagonistas da capoeira? Quem pode falar em nome desse patrimônio? Quem viveu e ainda vive sua história de resistência? Para o negro, a capoeira, o samba, o terreiro e tantos outros elementos de sua cultura continuam sendo um objeto de estigmatização. Quantos já não ouviram que não conseguem um emprego melhor porque só querem saber de ir pro pagode? Que a vida não vai pra frente porque ficam metidos na macumba? Que capoeira é coisa de malandro, de ladrão que precisa aprender a fugir da polícia? O fato de que nossas tradições só alcançam visibilidade e respeito quando praticadas por pessoas brancas é uma realidade que deve ser assumida, inclusive para que se enxergue a maneira como o racismo opera na estrutura social.

Talvez devêssemos admitir que a capoeira passou a ser um produto e já está inserida dentro da lógica capitalista. Por mais que se evoquem todos os significados históricos e culturais, devidamente reverenciados como valores de identidade e resistência, ainda assim seria impossível restringir os acessos e os usos. Portanto, não se trata mais de definir quem tem ou não o direito de praticar, mas assegurar que os fundamentos sejam preservados e que a capoeira não se torne mais um instrumento de demonização da cultura e do povo negro.

Casos de apropriação como esses, além de refutar elementos específicos de uma população, reforçam as estruturas da dominação e do racismo. Ao lançar mão de uma posse indevida e alterar deliberadamente um componente fundamental, como os valores civilizatórios da capoeira, esses movimentos visam a evangelização e a conversão de pessoas que se identificam com essa expressão cultural, mas, concomitantemente, incita ao ódio e à intolerância religiosa. Na lógica desse tipo de apropriação, que só se aplica às coisas do negro, busca-se mudar os significados, depurar e esvaziar completamente uma cultura.

Não se pode negar a origem de elementos culturais ou religiosos. Quem pratica capoeira sabe que reverenciar a história do povo que criou e preservou é indispensável. Orixás e cânticos sagrados não devem ser desrespeitados, não podem ser esvaziados de sentido. Grandes mestres não podem ser esquecidos ou menosprezados. Se a falta de compromisso com a luta antirracista já é questionável, imaginem a completa descaracterização de um elemento cultural tão importante quanto a capoeira, que, além de preservar a memória de personagens representativos, relembra os tempos de insurgência que livram o negro do estigma da submissão.

BOLINHO DE JESUS

Falar sobre apropriação cultural e alimentação não implica estabelecer o que pode ou não ser consumido. Ninguém está proibido de provar ou preparar iguarias de outras culturas. Aliás, a experiência gastronômica é uma das melhores formas de intercâmbio cultural, além de uma grande oportunidade de exercitar o aprendizado e o respeito à diversidade. Os hábitos alimentares também marcam a identidade de um povo. Ingredientes, modos de preparo, tabus, técnicas, temperos e rituais fazem parte da arte culinária. A cozinha é um espaço sagrado, cheio de segredos e magia.

A culinária é parte fundamental da cultura, pois nenhuma atividade humana deixa de ter significado. Cozinhar o alimento remete ao domínio do fogo, que se configura como um fato essencial para o desenvolvimento da humanidade. Em *O cru e o cozido*, Lévi-Strauss demonstrou que o aspecto simbólico do processo de cozimento revela um sinal evidente da passagem da natureza para a cultura. Pensar no simbolismo da alimentação, que inclui as comidas sagradas, os interditos religiosos, a influência da cultura popular, os mitos e os ritos alimentares, passou a ser um atributo da antropologia, mais especificamente da antropologia da alimentação.

Comer não deixa de ser um processo de interação social, que varia conforme cada cultura. As comidas se alternam de acordo com as circunstâncias. As comidas do dia a dia, a base da alimentação, os banquetes, as festas, as tradições religiosas. Todo ser humano obedece a um ritual no momento da refeição, sejam os prescritos pelas regras de etiqueta, sejam as liturgias sagradas de igrejas ou terreiros. Nenhum de nós, seja qual for nossa origem, se alimenta sem cultura. Os alimentos estão impregnados de cultura, mas em alguns casos isso fica bem mais evidente.

Cada alimento pode estar relacionado à cultura de um país, prova disso são os restaurantes japoneses, franceses, italianos, tailandeses, mexicanos, peruanos etc. As churrascarias brasileiras fazem sucesso ao redor do mundo. As carnes argentinas e uruguaias são famosas. Os *fast food* e lanchonetes de hambúrguer estão relacionadas à cozinha norte-americana. Há também a famosa culinária baiana, que é vasta e diversificada, mas tem entre as comidas as "de azeite", ou seja, aquelas que se originam dos terreiros de candomblé e usam o dendê como um dos principais ingredientes de seus pratos principais.

Para quem não sabe, o acarajé, uma das mais famosas iguarias da culinária baiana, é a comida votiva de Iansã, orixá guerreira, senhora dos ventos e das tempestades. Tombado como patrimônio nacional, está entre as tantas outras receitas que saíram dos terreiros, tomaram as mesas de todos os brasileiros e até se espalharam pelo mundo. Além do acarajé, caruru, vatapá, mugunzá, feijoada, pipocas, acaçá, abará e tantos outros pratos são, na verdade, comidas de santo, ou seja, fazem parte das oferendas dos devotos do candomblé a seus orixás.

A conversão de baianas do acarajé às igrejas neopentecostais tentou afastar do famoso bolinho de feijão fradinho os traços afro-religiosos, eliminando os rituais que antecediam sua venda, retirando os símbolos que enfeitavam o tabuleiro e as próprias baianas, mudando o nome africano. Para conter esse movimento foi necessária a intervenção de uma lei, mas o estrago é profundo, pois não se trata apenas de refutar os elementos específicos de uma cultura. Nesse caso, estamos falando de apropriação cultural, de dominação, de uma posse indevida que visa exploração e lucro e ainda está a serviço da intolerância religiosa.

Qual o incômodo em relação ao acarajé? Trata-se de um alimento impregnado de negritude, uma vez que os elementos religiosos do candomblé são inerentes ao seu preparo, desde os ingredientes até as técnicas para bater a massa e fritar os bolinhos. Impossível comer um acarajé e não se lembrar dos terreiros, mas quem resiste? E se essas pessoas soubessem que há uma infinidade de comidas que saíram do candomblé diretamente para as mesas de todas as famílias brasileiras? Que nossos hábitos alimentares são mais africanos e indígenas que europeus?

A demonização dos ritos e da cultura afro tem levado a episódios de violência simbólica bem alarmantes: cantores convertidos que se recusam a pronunciar trechos de músicas que remetem aos orixás, professores que tentam evangelizar alunos, pregam em sala de aula e se recusam a aplicar a Lei 10.639,[57] veículos de comunicação que não dão oportunidade a artistas vinculados a religiões de matriz africana, telespectadores que se recusam a assistir novelas com essa temática.

Suprimir os ritos e a herança africana do acarajé para inseri-lo numa lógica perversa de intolerância e racismo, defendendo que o bolinho ungido é que deve ser consumido pelos fiéis, é só mais um capítulo da história de perseguição que a cultura negra sempre sofreu. Revela, porém, um desconhecimento ou um desprezo por tudo que o acarajé representa na vida de tantas mulheres de candomblé, que, desde as práticas do ganho durante a escravidão, venceram na vida e salvaram suas famílias da fome e da pobreza extrema graças a essa e tantas outras comidas de origem africana vendidas pelas ruas de Salvador, Rio de Janeiro e pelo Brasil afora e até na África.

A reverência e a gratidão que os testemunhos nunca deixaram de expressar: "quarenta e cinco anos vendi meu acarajé. Criei meus filhos em cima do tabuleiro, graças a Deus e a Iansã, que Ela é a dona do acarajé". Iansã é a dona do acarajé. A Jesus e a seus fiéis caberia o respeito não só à divindade, mas à experiência de vida de inúmeras senhoras que, como baianas de acarajé, lavadeiras, quitandeiras, cozinheiras, doceiras, empregadas domésticas e mães de santo conseguiram alcançar um mínimo de dignidade para sobreviver e criar seus filhos.

A "gourmetização" de alguns pratos tradicionais da culinária baiana e afro-brasileira não é menos grave. Restaurantes com nomes e decoração que remetem ao passado colonial e escravocrata, adequação das receitas a paladares mais "refinados", criações assinadas por chefs renomados que aproveitam cinicamente ingredientes e modos de preparo típicos dos terreiros são apenas alguns exemplos. Será que um prato inspirado em uma comida de santo configura apropriação? Uma feijoada vegana ou vegetariana é apropriação? O que determina um ato de apropriação cultural é o apagamento de traços culturais ou o esvaziamento de significados.

Portanto, se há uma ideia de superioridade, dominação e negação da origem e da história (por questões religiosas ou políticas) é apropriação. Há práticas que podem causar incômodo, sobretudo naqueles que defendem uma cultura mais ortodoxa e pura, mas não devem ser consideradas apropriação. Intercâmbios culturais e processos de aculturação acontecem frequentemente. Trocas são normais e aceitáveis, mas sempre vale lembrar que a banca do mercado tem dois lados. Quem toma de uma cultura e não oferece contrapartida comete um roubo. Se alguém explora uma tradição e tira disso alguma vantagem sem nada devolver àqueles que a criaram incorre em apropriação cultural.

Voltando ao caso do acarajé, ao transformá-lo em "bolinho de Jesus" serve-se a quais interesses? Quais grupos se beneficiam com essa nova "roupagem"? Quais grupos são prejudicados? Vimos que esse fato é um efeito do racismo e da intolerância religiosa, uma perseguição que vem exigindo uma constante reafirmação de direitos. Os grupos neopentecostais que estão por trás desse movimento seguem firmes no seu intento de não deixar de consumir o produto e garantir os ganhos que a iguaria traz àqueles que se converteram a suas igrejas e não têm outro ofício. Os evangélicos da Bahia não deixam de vender nem de comer o acarajé, mas só o fazem porque apagam os traços negros e afro-religiosos. Uma prática visivelmente racista, sectária e excludente.

Com a intervenção da lei, o acarajé foi proibido de ser vendido com outro nome, mas aí se criou um "acarajé gospel" ou "acarajé ungido" e assim prossegue o projeto de demonização das religiões afro-brasileiras. Algo semelhante ao que também aconteceu com a capoeira e com o samba. Além da "capoeira gospel", temos o "pagode gospel", o "axé music gospel" e a "bateria de escola de samba gospel". É improvável que se pense em lançar um "candomblé gospel", mas a ideia de um "candomblé vegano", sem sacrifício de animais, e a noção de que "orixá não tem cor" vêm ganhando força e causando polêmica. Na verdade, o que está em jogo nesses casos é o esvaziamento de uma cultura por meio da depuração de seus elementos.

SOBRE BRANCOS NO TERREIRO

No candomblé, todos estamos acostumados a ver pessoas brancas de turbantes, com seus tradicionais trajes de baiana e indumentárias africanas, comendo acarajé e dançando com seus orixás. Contudo, fazer parte de uma religião negra denota assumir valores culturais ou aceitar uma identidade que difere em muitos aspectos daquilo que pregam a fé cristã e o conjunto de princípios ocidentais. Como escrevi em outra ocasião:

> Ser de candomblé significa assumir uma crença discriminada e perseguida e exige que se tome posição diante do racismo e da condição do negro em nossa sociedade. Não se compreende o candomblé na essência sem entender que se trata de uma religião negra. Vou frisar: candomblé é uma religião negra, por isso é uma religião rejeitada.[58]

Muitos brancos fizeram história no candomblé ao reafirmar os valores africanos preservados nos terreiros. Jorge Amado e Carybé, ambos filhos de Oxóssi e Obás de Xangô no Ilê Axé Opô Afonjá, imprimiram em suas obras o legado da negritude. Literatura e artes plásticas registrando a realidade de um grupo, desde o sofrimento da escravidão até o resgate de sua realeza por meio dos ritos de iniciação. Esse povo negro como as noites mágicas da Cidade da Bahia, onde o som dos atabaques ecoa, atravessa os mares e chega às florestas africanas para chamar os orixás. A terra-mãe recriada em cada terreiro. No modo de vida, nos costumes, na memória e na cultura dessa gente, a África revive.

Alguns vieram da França e foram arrebatados por essa força, pela presença viva dos ancestrais africanos, pela sabedoria de seus líderes, pela alegria de um povo em diáspora. Vozes que encantaram Pierre Verger e Roger Bastide, vozes que ressoaram em solo europeu pelo registro de uma história pulsante, que revela os valores de uma civilização preservados em outro continente. Verger e Bastide percorreram a África Negra e os terreiros de candomblé e viram tanta semelhança que dedicaram boa parte de sua obra à comparação por meio de fotografias e textos, sempre exaltando o grande feito dos escravizados, que mantiveram suas tradições mesmo sob o jugo da chibata.

Certa vez, Verger apresentou o candomblé a uma antropóloga de origem francesa. Filha de diplomatas nascida no Marrocos, Giselle Cossard Binon não resistiu ao som dos atabaques e se deixou tomar pela força de Iemanjá. Foi iniciada por Joãozinho da Gomeia e recebeu o nome de Omindarewá. Fixou-se no Rio de Janeiro, tornando-se iyalorixá e dedicando-se ao candomblé até sua morte, em janeiro de 2016. Uma mãe de santo branca e francesa, que deu continuidade a suas obrigações com Pai Obaràyí, no Ilê Axé Opô Aganju, uma das casas mais respeitadas da Bahia.

As tradições africanas recriadas no Brasil são essencialmente acolhedoras, e brancos nos terreiros de candomblé não são uma novidade recente. Os fluxos de migração trouxeram para o Sudeste um grande contingente de nordestinos, entre eles, muitos baianos que praticavam o culto aos orixás. O crescimento do proletariado urbano em cidades como São Paulo e Rio de Janeiro obrigou as religiões afro-brasileiras a se adequarem às necessidades de uma sociedade urbano-industrial. Nesse contexto, a umbanda ganha força e passa a abrigar negros e brancos de camadas baixas. Só que, no espectro das relações raciais, pertencer a uma religião de matriz africana significava para a população negra fortalecer estigmas e ampliar os riscos de discriminação. Como bem observou Geraldo Filme:

> Negro falava de umbanda
> Branco ficava cabreiro
> Fica longe desse negro
> Esse negro é feiticeiro
> Hoje o preto vai à missa
> E chega sempre primeiro
> O branco vai pra macumba
> Já é Babá de terreiro

O que se percebe atualmente é uma afirmação de valores da branquitude nos terreiros de candomblé. Além de reproduzir o racismo, muitos defendem que orixá não tem cor. Agora, a quem serve dizer que orixá é amor, é energia, e não tem cor? Qual o sentido e a intenção de imaginar que orixás são brancos? Em situações como essas, é preciso lembrar que ser de candomblé significa assumir uma crença discriminada e perseguida. Isso exige um posicionamento diante do racismo e da condição do negro em nossa sociedade. Portanto, não se pode admitir que instrumentos que reforçam a discriminação e a invisibilidade do negro e de sua cultura sejam disseminados em nome dos interesses de uma sociedade consumista e narcísica.

Há casos muito graves de discriminação, que vão desde mãe de santo branca que diz que seu candomblé é bom porque tem pouco negro, até crianças negras que estão sofrendo racismo dentro de terreiros. É preciso considerar que pessoas negras raramente se veem representadas e encontram na religião uma das poucas formas de reconstruir positivamente sua identidade. Convencer essas pessoas de que os orixás não têm cor ou simplesmente retratá-los como brancos é não reconhecer sua existência enquanto sujeitos.

Por mais que se possa argumentar que na umbanda houve um processo de sincretismo que associou orixás a santos católicos, nada justifica que se recriem divindades de origem africana apagando os traços da negritude. Na umbanda houve uma espécie de fusão que em vez de alterar as imagens dos santos passou a tratá-los com os nomes dos orixás. Como já vimos, sincretismo e apropriação são processos diferentes e com características bem específicas. No Brasil, as religiões de matriz africana são as grandes vítimas da intolerância. Portanto, não se pode retratar os orixás como personagens de histórias fantasiosas ou folclóricas, nem descrevê-los ao sabor da liberdade de expressão ou dos ideais de branqueamento de sacerdotes que não entendem o valor de sua origem nem seus significados mais elementares.

A potencialidade de instaurar o sagrado em qualquer tempo, em qualquer lugar, é uma prerrogativa de qualquer iniciado no candomblé, mas não pode, de forma alguma, ser confundida com indulgência. A religiosidade negra brota das ruas e encruzilhadas, está no samba, na capoeira, no acarajé. Esses cultos são praticados com alegria e regozijo, com música, com dança, com arte. Seus fiéis enfeitam-se de contas e búzios, de formas e cores, mas tudo isso tem origem, tem raça, tem história. Nesse sentido, símbolos sagrados não podem ser desrespeitados, não podem ser esvaziados de sentido e comercializados como adereços. São parte fundamental da cultura de um povo.

Por mais que sejam adotadas por pessoas de outras origens étnicas, religiões como o islamismo, o budismo, o hinduísmo, entre outras, não têm suas origens apagadas. Todos conhecem e respeitam sua ascendência árabe ou oriental. Por que orixá tem que ser amor, energia? Por que não pode ter cor? Isso quer dizer que branco não pode ser de candomblé? Muito pelo contrário, pode e deve. Não há problema algum em ser branco e de candomblé, mas tem que saber e assumir que seu orixá é negro.

Ao tentar reafirmar seu protagonismo nos terreiros, pessoas negras não estão se posicionando contra pessoas brancas. Reiterar a cultura enquanto marca de um povo sistematicamente perseguido, enquanto aspecto vital dos processos de resistência e reexistência, é uma necessidade premente em tempos de exasperação do racismo. É uma condição para a continuidade e para suportar as dores e os sofrimentos causados pela exclusão. O banzo ainda nos assola e muitos dos nossos querem se desconectar. Quando Edison Carneiro disse que o negro não teria sobrevivido sem o candomblé, indicava que as dificuldades da vida social deveriam ser compensadas com a vivência das tradições culturais. Não podemos viver sem cultura, ainda que isso signifique lutar para que nossas expressões sejam respeitadas.

Ao assumir um caráter inclusivo, as religiões de matrizes africanas e a própria cultura negra tornaram-se abrangentes, ou seja, abertas a todos. Assumir esse aspecto universal não impediu que continuassem a ser vistas de forma pejorativa e estigmatizada. O preto continua sendo "macumbeiro", mas o branco é excêntrico. Muitos vêm para o candomblé, mas não querem reconhecer nem abrir mão de seus privilégios. Seguem imprimindo os valores da branquitude na relação com os "irmãos" negros e reproduzindo as expressões sutis ou patentes do racismo.

Eles vão ao candomblé, à umbanda, vão ao Santo Daime e tomam *ayahuasca*, mas não compreendem o sentido das coisas. Vão porque é *cult*, "descolado", "está na moda". É preciso abraçar a cultura e incorporar seus significados mais profundos. No candomblé, é preciso morrer para renascer. Qualquer coisa diferente disso é apropriação cultural.

Respeito é a palavra-chave. Nenhum símbolo religioso deve ser tratado com leviandade, seja da crença que for. Atualmente, elementos do judaísmo têm sido utilizados indevidamente por igrejas evangélicas, num exemplo sério de apropriação cultural. O sincretismo está na base de todas as religiões, mas esse fenômeno recente tem outros propósitos e esbarra na questão política, sobretudo no projeto de poder neopentecostal. Quando um não judeu visita uma sinagoga deve usar quipá em respeito às tradições judaicas, da mesma forma que aqueles que forem a uma festa de Oxalá num terreiro de candomblé deverão vestir-se de branco. Mas qual o propósito de um babalorixá adotar a quipá ou de um rabino presidir seu ritual vestido de branco?

A mercantilização da fé fez com que algumas igrejas neopentecostais se apropriassem de símbolos de outras igrejas, inclusive das religiões de matriz africana. A conversão de outras pessoas enquanto requisito para a salvação implica o uso de elementos que despertem identificação e empatia. É uma estratégia de dominação que encontra seus fundamentos nos dogmas de um monoteísmo que visa o poder em vez do amor e da caridade. Se uma religião não reafirma a dignidade do ser humano e não respeita a diversidade, também não cumpre sua função primordial de construir um tempo de paz e justiça.

As religiões de matriz africana têm um compromisso ancestral com a felicidade. Alguns avaliam que já saíram da categoria de religião de resistência e assumiram o perfil de religiões universais, isto é, aberta a todos. No dizer dos mais velhos, "o candomblé é pra todos, mas nem todos são para o candomblé". Há critérios que devem ser observados para que uma pessoa faça parte de um terreiro. Com respeito, todos são bem-vindos e podem participar, dançar, usar as insígnias, inclusive turbantes, e até se iniciar.

Brancos são bem-vindos, mas o candomblé, por princípio, não pode admitir que um ser humano seja reduzido à categoria de consumidor, porque reproduz a família extensa africana e é uma religião essencialmente comunitária. Da mesma forma que o afro-oportunismo ou a afro-conveniência devem ser repudiados, pois tem muito cantor e compositor que nunca pisou num terreiro fazendo música para orixá, muita gente evocando a ancestralidade negra na hora que lhe convém. Candomblé é comunidade e comunidade implica pertencimento.

Ao banalizar a cultura e a religião afro-brasileiras e transformar seus componentes em produtos que satisfazem os desejos de uma elite que quer consumir o que lhe parece bom, belo ou exótico, comete-se um desrespeito com o povo de terreiro, sobretudo com as pessoas negras. No candomblé, todas as coisas são ou se tornam sagradas porque possuem significados, porque têm uma importância social e política. Para fazer parte da religião é preciso conhecer esses significados. Branco pode ser de candomblé? Pode, desde que compreenda e abrace esses valores, desde que respeite os símbolos de luta e resistência, desde que saiba e assuma que orixá é negro.

CONSIDERAÇÕES FINAIS

> *"Mòràmọ̀ràn kan ò mọye èèjẹ̀ ilẹ̀."*
> *"Não há sábio que conheça o número dos grãos de areia."*[59]

Todos nós temos algo a aprender, mas não adianta explicar para quem não quer entender. Aliás, o tema da apropriação cultural não é fácil de entender, nem de explicar, mas já estava na hora de estruturar minimamente o debate e organizar algumas informações que vinham circulando de forma truncada ou sem a profundidade necessária. Como ensinava Mãe Stella de Oxóssi, "criar desculpas para os próprios atos é a melhor maneira de permanecer no erro". Neste livro, fornecemos algumas informações para que as pessoas interessadas em aprender errem menos. Exu foi nosso grande mestre, abrindo caminhos e costurando a discussão sobre as culturas e sobre a questão da violência e da resistência.

Afinal, o que configura a apropriação cultural? Para além do fato de um elemento ser próprio de determinada cultura e dela ser retirado sem o devido "crédito", "autorização" ou "retribuição" a essa cultura de origem, apropriação cultural ocorre principalmente em um contexto de dominação, dentro de uma estrutura colonialista e racista, quando o componente usurpado é uma ferramenta de resistência de um grupo historicamente subalternizado.

Chegar a um conceito de apropriação cultural sem definir o que é cultura seria impossível. Reunimos, então, duas abordagens, que expressam tanto uma visão mais ampla e clássica, quanto a que traz um entendimento mais voltado para as produções afro-brasileiras. A primeira perspectiva remonta às escolas culturalista e estruturalista, com uma noção mais alinhada com às reflexões de Geertz e Lévi-Strauss. Desse ponto de vista, os elementos inerentes à cultura têm de ser respeitados em seus contextos culturais, pois são importantes para a identidade do grupo.

Num segundo momento, escolhemos um viés mais político, evocando o pensamento de Frantz Fanon, Abdias Nascimento e Kabengele Munanga, além dos pós-coloniais, como Said. Dessa forma, tentamos definir a cultura de povos subalternizados ou colonizados, como afro-brasileiros e indígenas, enquanto mecanismo de resistência. Nesse caso, a apropriação seria uma violência no contexto do racismo e do colonialismo. É evidente que essa segunda visão nos parece mais interessante. Talvez fique uma impressão de que as interpretações divergem, mas isso não é um problema.

Como toda cultura é múltipla, dinâmica, movediça e se configura a partir do contato com outras culturas, a associação de termos culturais específicos com "identidades" pode parecer uma operação complicada. Explicando melhor, por vezes é muito difícil sustentar que certos símbolos que são mobilizados por uma "cultura" pertençam apenas àquela cultura ou sejam fundamentais para uma identidade coletiva.

Voltando ao tão batido exemplo do turbante, pode ser complexo defender o argumento de que o turbante tem significado para todo povo negro do Brasil ou que um branco usando turbante estaria se utilizando de um elemento próprio da "cultura negra", visto que este mesmo elemento pode ser reivindicado por árabes, berberes, hindus etc. Além de ser uma das justificativas mais lembradas pelos que defendem que "vai ter branco de turbante, sim", na ótica culturalista há uma dificuldade em associar raça/cor de pele com uma cultura específica. Como definir, por exemplo, a "cultura negra brasileira" ou a "cultura branca" quando se tem um mito da democracia racial escamoteando os conflitos? A noção de que "é de todos" tem base nesses fatores.

Por isso, a ideia de apropriação cultural que ganha força em nossa busca reforça a noção de resistência em detrimento da noção de identidade. Mesmo porque o conceito de resistência cultural nos parece mais poderoso do que o conceito de identidade cultural. Em outras palavras, trata-se de um conceito político que não permite que nos esqueçamos das relações de dominação. Além disso, a noção de resistência cultural não leva a uma centralização do debate e evita a possibilidade de confusão.

Considerando a trajetória do povo negro, alguns elementos culturais, como candomblé, samba, capoeira, turbantes, entre outros, são ferramentas históricas de resistência contra o sistema racista. Isso se dá independentemente de sua "origem cultural", pois até São Benedito, Santa Ifigênia, São Jorge e Nossa Senhora Aparecida, entre tantos outros elementos "europeus" e do catolicismo, foram assimilados como símbolos de reexistência negra[60] em alguns locais do Brasil. Portanto, mais do que pertencerem ou serem próprios da cultura negra, esses elementos adquirem sentido político no contexto brasileiro racista.

Nessa perspectiva, a apropriação cultural só pode se dar contra uma cultura subalternizada, e consiste em desapropriar, expropriar, usurpar elementos de resistência cultural/estética de um grupo, desvirtuando, além de seu sentido cultural, também seu sentido político. Não importa se a origem do pandeiro é árabe, se o turbante é indiano ou se a miçanga do fio de contas é fabricada na Indonésia. Esses elementos se tornaram símbolos de resistência do povo negro contra o sistema escravista e racista e devem ser respeitados como tal.

Levamos esse argumento ao limite para demonstrar que apropriação cultural só existe como violência, ou seja, quando há racismo, dominação e colonialismo, bem como nas estruturas do sistema capitalista e da sociedade de consumo. Um indígena que usa calça jeans ou boné de baseball não está agredindo ninguém, pois além da cultura branca norte-americana ser dominante, um jeans não é nem nunca foi símbolo de resistência. Portanto, a apropriação é uma questão tão política quanto cultural. Essa ideia fica mais visível e forte quando é retirada da esfera da "identidade cultural" e compreendida com base no conceito de "resistência cultural".

NOTAS

1. No original "(...) in our name". HALL, Stuart. Cultural Identity and Diaspora. In: RUTHERFORD, Jonathan (ed.). *Identity, Community, Culture Difference*. London: Lawrence and Whishart Limited, 1990, p. 222.

2. Conceito formulado pelo Prof. Dr. Babalorixá Sidnei Barreto Nogueira.

3. Trânsitos África-Brasil: entrevista com Kabengele Munanga. *Revista Observatório Itaú Cultural*. N. 21. São Paulo: Itaú Cultural, 2016/2017. p. 168-190.

4. "Segundo profecia iorubá, a diáspora negra deve buscar caminhos discursivos com atenção aos acordos estabelecidos com antepassados. Aqui, ao consultar quem me é devido, Exu, divindade Africana da comunicação, senhor da encruzilhada e, portanto, da interseccionalidade, que responde com a voz sabedora de quanto tempo a língua escravizada esteve amordaçada politicamente, impedida de tocar seu idioma, beber da própria fonte epistêmica cruzada de mente-espírito (AKOTIRENE, Carla. *Interseccionalidade*. São Paulo: Sueli Carneiro; Polén, 2019, p. 20).

5. Trânsitos África-Brasil: entrevista com Kabengele Munanga. *Revista Observatório Itaú Cultural*. N. 21. São Paulo: Itaú Cultural, 2016/2017. p. 168-190.

6. Idem.

7. Apud SOUZA, Ana Lúcia Silva (et. al.). *De olho na cultura: pontos de vista afro-brasileiros.* Salvador: Centro de Estudos Afro-orientais; Brasília: Fundação Cultural Palmares, 2005. p. 16.

8. GONZALEZ, Lélia. Por um feminismo afrolatinoamericano. *Revista Isis Internacional*, Santiago, v. 9, p. 133-141, 1988.

9. Apud SOUZA, Ana Lúcia Silva (et. al.). *De olho na cultura: pontos de vista afro-brasileiros.* Salvador: Centro de Estudos Afro-orientais; Brasília: Fundação Cultural Palmares, 2005. p. 30.

10. Iyalorixá Stella de Oxóssi (1925-2018), doutora honoris causa pela UFBA, membro da Academia de Letras da Bahia.

11. LANDES, Ruth. *A Cidade das Mulheres.* Rio de Janeiro: Editora da UFRJ, 2002. p. 149.

12. Trânsitos África-Brasil: entrevista com Kabengele Munanga. *Revista Observatório Itaú Cultural.* N. 21. São Paulo: Itaú Cultural, 2016/2017. p. 168-190.

13. thomasvconti.com.br/2017/apropriacao-cultural-uma-historia-bibliografica/

14. LUTZ, Hartmut. Cultural appropriation as a process of displacing peoples and history. *The Canadian Journal of Native Studies*, (1990). 10(2), 167-182.

15. Trânsitos África-Brasil: entrevista com Kabengele Munanga. *Revista Observatório Itaú Cultural*. N. 21. São Paulo: Itaú Cultural, 2016/2017. p. 168-190.

16. Cabe lembrar a participação e a influência da Igreja Católica na implantação e na manutenção da escravidão negra no Brasil, a partir do século XVI, especialmente por conta da união com o Estado português, por meio do "padroado real", que subordinava a Igreja à Coroa portuguesa em troca de exclusividade da ação evangelizadora. Entre outras práticas, os escravizados eram submetidos ao batismo compulsório, destituídos de seus nomes e separados de suas famílias.

17. Gonzalez, Lélia. Por um feminismo afrolatinoamericano. *Revista Isis Internacional*, Santiago, v. 9, p. 133-141, 1988.

18. Para um aprofundamento nessa questão, recomendo a leitura de *Racismo recreativo*, de Adilson Moreira (Pólen, 2018).

19. Pai Pérsio de Xangô, um dos fundadores do candomblé paulista, repetia essa cantiga sempre que lhe relatavam algum desafio aparentemente impossível de vencer.

20. AGUILAR, Andrea. Angela Davis: "O racismo voltou a ser mais violento e explícito". *El País*. http://aegea.com.br/respeitodaotom/opiniao/angela-davis-o-racismo-voltou-a-ser-mais-violento-e-explicito/ Acesso em 21 out 2019.

21. MUNANGA, Kabengele. *Uma abordagem conceitual das noções de raça, racismo, identidade e etnia*. p. 08.

22. Refiro-me, principalmente, aos "negros conscientes", pois Fanon também mostra que o sistema racista faz as vítimas muitas vezes admirarem o opressor e consecutivamente odiarem a si mesmas. Daí a importância dos elementos culturais de autoafirmação, para tirarem os subalternizados desse impasse. Nesse sentido, seguindo esta linha, a apropriação retira dos grupos subalternizados esses elementos de resistência não só política, mas também psíquica.

23. O conceito (mito) da democracia racial foi sistematizado na obra *Casa Grande & Senzala*, de Gilberto Freyre, e considera que as relações raciais no Brasil estariam livres do racismo, uma vez que as formas de discriminação diferem das práticas adotadas em países como Estados Unidos, por exemplo, o que a tornaria irrelevante. É a tentativa de se vender uma imagem que não corresponde à realidade e só encontra respaldo na ausência de mecanismos oficiais de segregação.

24. MOREIRA, Adilson. Privilégio e Opressão. In: *Observatório Itaú Cultural*. Ed. 21. p. 42.

25. Para entender melhor o conceito de lugar de fala, recomendo a leitura de *Lugar de fala*, de Djamila Ribeiro (Pólen Livros, 2019)

26. MOREIRA, Adilson. Privilégio e Opressão. In: *Observatório Itaú Cultural.* Ed. 21. p. 36.

27. EUGENIO, Rodney William. Sobre Capoeira Gospel, Bolinho de Jesus e Afins. In: *Carta Capital.* 20-10-2017.

28. Mesmo aqueles que não discriminam acabam gozando os privilégios da discriminação.

29. Conforme noticiou o *El País* e outros jornais, PM confundiu um guarda-chuva com fuzil e matou com três tiros o garçom Rodrigo Alexandre da Silva Serrano no Rio de Janeiro. https://brasil.elpais.com/brasil/2018/09/19/politica/1537367458_048104.html. Acesso em 21 out 2019.

30. BARBOSA, Luciene Cecília. Racismo e Branquitude: representações na telenovela Da Cor do Pecado. In: *Revista Mídia e Etnia*; ano 1; n. 1, p. 5-9.

31. MOREIRA, Adilson. Privilégio e Opressão. In: *Observatório Itaú Cultural.* Ed. 21. p. 33.

32. Com essa cantiga, Omolu – o senhor da cura, o mais rico entre todos os orixás, se despede.

33. "Dinheiro do prato" refere-se a uma nota que é colocada junto ao obi (noz-de-cola) aberto antes das oferendas para saber da aceitação dos orixás. "Dinheiro do chão" é a oferta feita pelos iniciados como pagamento pelos rituais. "Dinheiro da mesa" é o pagamento do jogo de búzios.

34. Professor do Departamento de Filosofia e do Núcleo de Estudos Afro-brasileiros da Universidade de Brasília (UnB).

35. NASCIMENTO, Wanderson Flor. Olojá: Entre encontros - Exu, o senhor do mercado. *DasQuestões*, n.4, ago/set 2016. p. 28.

36. https://www.metropoles.com/colunas-blogs/ilca-maria-estevao/governo-mexicano-acusa-carolina-herrera-de-apropriacao-cultural

37. https://exame.abril.com.br/marketing/japao-enviara-autoridades-de-patentes-aos-eua-para-debater-marca-kimono/

38. https://www.metropoles.com/gastronomia/comer/polemica-alex-atala-e-quilombolas-divergem-sobre-baunilha-do-cerrado

39. Segue a sugestão de dois artigos: "Conhecimento tradicional e propriedade intelectual nas organizações multilaterais", de Silvia Helena Zanirato e Wagner Costa Ribeiro. *Ambiente e Sociedade*. vol. 10. n.1. Campinas Jan./Jun. 2007, e "Legislação geral sobre comunidades tradicionais", do Ministério Público do Paraná.

40. Mãe Stella de Oxóssi.

41. De acordo com uma pesquisa da Secretaria Municipal de Promoção da Igualdade Racial divulgada em 2016, 60,6% dos seguidores das religiões afro-brasileiras na cidade são brancos, enquanto os pretos representam

13,1% e os pardos, 25,5%. O estudo também indica que a maior parte dos adeptos é de mulheres e tem, ao menos, ensino médio completo. https://exame.abril.com.br/brasil/brancos-sao-maioria-nas-religioes-afro-em-sao-paulo/

42. Em fevereiro de 2017, Thauane Cordeiro, uma jovem de Curitiba, postou em suas redes sociais que estava no metrô, onde teria sido repreendida por uma mulher negra sobre o fato de estar usando turbante. Calva pela quimioterapia de tratamento de câncer, ela teria tirado o turbante e dito "Tá vendo essa careca, isso se chama câncer, então eu uso o que eu quero! Adeus". A postagem que conta essa história que nunca foi provada, mas foi tratada como verdade absoluta, tornou-se um viral na internet, servindo de palco para muitos ataques a mulheres negras, bem como deslegitimação em torno do tema apropriação cultural.

43. GONÇALVES, Ana Maria. Na polêmica sobre turbantes, é a branquitude que não quer assumir seu racismo. *The Intercept Brasil*, 16-2- 2017. https://www.brasildefato.com.br/2017/02/16/na-polemica-sobre-turbantes-e-a-branquitude-que-nao-quer-assumir-seu-racismo/

44. Para compreender o tema de maneira mais profunda, recomendo a leitura do livro *Empoderamento*, de Joice Berth. São Paulo: Pólen, 2019.

45. A postagem foi apagada, mas há muitas matérias sobre o tema em vários sites: https://emais.estadao.com.

br/noticias/comportamento,jovem-com-cancer-que-sofreu-represalia-por-usar-turbante-faz-desabafo,70001662157; https://www1.folha.uol.com.br/cotidiano/2017/02/1858068-jovem-com-cancer-e-repreendida-por-usar-turbante-e-desabafa-na-internet.shtml; https://extra.globo.com/noticias/viral/criticada-por-apropriacao-cultural-ao-usar-turbante-jovem-com-cancer-rebate-uso-que-quero-20912104.html.

46. BRUM, Eliane. De uma branca para outra: o turbante e o conceito de existir violentamente. *El País*. 20-2-2017. https://brasil.elpais.com/brasil/2017/02/20/opinion/1487597060_574691.html.

47. Letieres Leite: 'Já vi bloco recusar cantor por dizer que parecia macaco'. Disponível em https://bahia.ba/entrevista/letieres-leite-ja-vi-bloco-recusar-cantor-por-dizer-que-parecia-um-macaco/. Acesso 10 set 2019

48. Trechos do samba "Agoniza mas não morre", de Nelson Sagento.

49. Trecho adaptado de "Samba da bênção", de Vinícius de Moraes e Baden Powell.

50. Trecho da música "Influência do jazz", de Carlos Lyra.

51. Recomendo a leitura do livro *Encarceramento em Massa*, de Juliana Borges. São Paulo: Pólen, 2019.

52. LEES, Gene. *Singers & Song II*. Nova Iorque: Oxford University Press, 1998.

53. Trecho da música "Pelo telefone", de Donga, que é considerada o primeiro samba gravado no Brasil, em 1916.

54. Trecho da música "Vá cuidar da sua vida", de Geraldo Filme.

55. Famoso refrão do samba-enredo do Salgueiro no carnaval carioca de 1969.

56. Informações retiradas da matéria "Movimento Negro reclama de capoeira gospel: 'apropriação cultural'". https://www.gospelprime.com.br/movimento-negro-reclama-de-capoeira-gospel-apropriacao-cultural/

57. Lei 10.639/03, alterada pela Lei 11.645/08, torna obrigatório o ensino de história e cultura afro-brasileira e africana em todas as escolas, públicas e particulares, do ensino fundamental até o ensino médio.

58. EUGÊNIO, Rodney William. Sobre Capoeira Gospel, Bolinho de Jesus e Afins. *Carta Capital*, 20 out. 2017.

59. Mãe Stella de Oxóssi.

60. Recomendo a leitura do livro *Letramentos de reexistência*, de Ana Lúcia Silva Souza. São Paulo: Parábola Editorial, 2011.

REFERÊNCIAS BIBLIOGRÁFICAS

ALMEIDA, Silvio. *O que é racismo estrutural*. Belo Horizonte: Letramento, 2018.

AMADO, Jorge. *Bahia de Todos-os-santos: guia de ruas e mistérios de Salvador*. São Paulo: Companhia das Letras, 2012.

_____. *Tenda dos Milagres*. Rio de Janeiro: Record, 2000.

AMARAL, Rita. *Xirê! O Modo de Crer e de Viver no Candomblé*. Rio de Janeiro: Pallas; São Paulo: Educ, 2005.

AUGRAS, Monique. *O Duplo e a Metamorfose: a identidade mítica em comunidades nagô*. Petrópolis: Vozes, 1983.

BALANDIER, Georges. *Antropologia política*. São Paulo: Difusão Europeia do Livro/Editora da Universidade de São Paulo, 1969.

BARROS, José D'Assunção. *A construção social da Cor*. Petrópolis: Vozes, 2009.

BASTIDE, Roger. *As religiões africanas no Brasil*. São Paulo: Pioneira, 1971.

_____. *O Candomblé da Bahia: Rito Nagô*. São Paulo: Cia das Letras, 2001.

BENISTE, José. *Dicionário Yorubá/Português*. Rio de Janeiro: Bertrand Brasil, 2011.

BERTH, Joice. *O que é Empoderamento*. Belo Horizonte: Letramento, 2018.

BOURDIEU, Pierre. *A Distinção:* crítica social do julgamento. Porto Alegre: Editora Zouk, 2007.

CARNEIRO, Edison. *Candomblés da Bahia*. São Paulo: Martins Fontes, 2008.

CAROSO, Carlos; BACELAR, Jeferson. (Orgs.) *Faces da Tradição Afro-brasileira.* Rio de Janeiro: Pallas, 1999.

CARYBÉ. *As Sete Portas da Bahia.* Rio de Janeiro: Record, 1987.

CASTILLO, Lisa Earl. *Entre a Oralidade e a Escrita: a etnografia nos candomblés da Bahia.* Salvador: Edufba, 2010.

CHARTIER, Roger. *A história cultural: entre práticas e representações.* Rio de Janeiro: Bertand Brasil, 1990.

CHEVALIER, Jean; GHEERBRANT, Alain. *Dicionário de Símbolos.* Rio de Janeiro: José Olympio, 2005.

CONCONE, Maria Helena Vilas Boas. *Umbanda: uma religião brasileira.* São Paulo: FFLCH/USP, CER, 1987.

CONSORTE, Josildeth G. Sincretismo ou Africanização? O Culto dos Orixás em Busca de Novos Caminhos. In: BERNARDO, T.; TÓTORA, S. *Ciências Sociais na Atualidade: percursos e desafios.* São Paulo: Cortez, 2004.

COSTA, Valéria; GOMES, Flávio (Orgs.). *Religiões negras no Brasil: da escravidão à pós-emancipação.* São Paulo: Selo Negro, 2016.

ELBEIN DOS SANTOS, Juana. *Os Nàgó e a Morte.* Petrópolis: Vozes, 1986.

ENRIQUEZ, Eugéne. *A Organização em Análise.* Petrópolis: Vozes, 1997.

EUGÊNIO, Rodney William. *A bênção aos mais velhos: poder e senioridade nos terreiros de Candomblé.* Mairiporã: Arole Cultural, 2017.

EVANS-PRITCHARD, E. E. *Bruxaria, oráculos e magia entre os Azande.* Rio de Janeiro: Jorge Zahar, 2005.

FANON, Frantz. *Pele negra, máscaras brancas*. Salvador: EDUFBA, 2008.

___. *Em defesa da Revolução Africana*. Lisboa: Livraria Sá da Costa Editora, 1980.

GEERTZ, Clifford. *A interpretação das culturas*. Rio de Janeiro: LTC, 2008.

GODELIER, Maurice. *Horizontes da Antropologia*. São Paulo: Edições 70, 1977.

HALL, Stuart. *A identidade cultural na pós-modernidade*. 10. ed. Rio de Janeiro: DP&A, 2005.

_____. Da Diáspora: Identidades e mediações Culturais. Belo Horizonte: Ed. UFMG, 2013.

HARVEY, David. *Condição Pós-moderna*. São Paulo: Loyola, 1999.

IANTERNARI, Vittorio. *As religiões dos oprimidos*. São Paulo: Perspectiva, 1974.

LEITE, Fábio. *A Questão Ancestral*. São Paulo: Palas Athena; Casa das Áfricas, 2008

LÉVI-STRAUSS, Claude. *Antropologia Estrutural*. São Paulo: Cosac Naify, 2008.

LOPES, Nei; SIMAS, Luiz Antonio. *Dicionário da História Social do Samba*. Rio de Janeiro: Civilização Brasileira, 2015.

LÜHNING, Angela Elisabeth; MATA, Sivanilton E. da. *Casa de Oxumarê: os cânticos que encantaram Pierre Verger*. Salvador: Vento Leste, 2010.

LUZ, Marco Aurélio. Do tronco ao opa exim: memória dinâmica da tradição afro-brasileira. Rio de Janeiro: Pallas, 2002.

MAFFESOLI, Michel. *A transfiguração do político, a tribalização do mundo*. 3. ed. Porto Alegre: Sulina, 2005.

MALINOWSKI, B. *Os argonautas do pacífico ocidental*. São Paulo: Abril, 1978.

MARCONI, Marina de Andrade; PRESOTTO, Zelia M. Neves. *Antropologia, uma introdução*. 4.ed. São Paulo: Atlas, 1998.

MARTINS, Cléo; LODY, Raul (orgs.). Faraimará – o caçador traz alegria: Mãe Stella, 60 anos de iniciação. Rio de Janeiro: Pallas, 2000.

MBEMBE, Achille. *Crítica da razão negra*. Lisboa: Antígona, 2014.

MOORE, Carlos. *Racismo & Sociedade:* novas bases epistemológicas para entender o racismo. Belo Horizonte: Mazza Edições, 2007.

MÜLLER, Tânia; CARDOSO, Lourenço. *Branquitude: estudos sobre a identidade branca no Brasil*. São Paulo: Appris Editora, 2018.

MUNANGA, Kabengele. *Negritude: usos e sentidos*. Belo Horizonte: Autêntica, 2009.

NAPOLEÃO, Eduardo. *Vocabulário Yorùbá*. Rio de Janeiro: Pallas, 2011.

NASCIMENTO, Abdias. *O Genocídio do Negro Brasileiro*. Rio de Janeiro: Paz e Terra, 1978.

OXÓSSI, Mãe Stella de. *Opinião*. Salvador, 2012.

___. Òwe/Provérbios. Salvador, 2007.

RIO, João do. *As Religiões no Rio*. Rio de Janeiro: H.Garnier, 1904.

RIBEIRO, Djamila. *O que é Lugar de Fala*. Belo Horizonte: Letramento, 2017.

SAID. Edward W. *Orientalismo:* o Oriente como invenção do Ocidente. São Paulo: Companhia das Letras, 2007.

SANTOS, Deoscóredes Maximiliano dos. *História de um terreiro nagô*. 2.ed. São Paulo: Max Limonad, 1988.

SARTRE, Jean-Paul. *Reflexões sobre o racismo*. 6.ed. Rio de Janeiro, São Paulo: Difel, 1978.

SILVA, Vagner Gonçalves da. *Candomblé e umbanda* - caminhos da devoção brasileira. 2. ed. São Paulo: Selo Negro, 2005.

_____. *Orixás da metrópole*. Petrópolis: Vozes, 1996.

SILVEIRA, Renato. O candomblé da Barroquinha: processo de constituição do primeiro terreiros de Keto. Salvador: Edições Maianga, 2006.

SODRÉ, Muniz. *A verdade seduzida:* por um conceito de cultura no Brasil. 2. ed. Rio de Janeiro: Francisco Alves, 1988.

SOUZA, Ana Lúcia Silva. *Letramentos de reexistência: poesia, grafite, música, dança: HIP-HOP*. São Paulo: Parábola Editorial, 2011.

___, et al. *De Olho na Cultura: pontos de vista afro-brasileiros.* Brasília: Fundação Cultural Palmares, 2005.

SOUZA, Neusa Santos. *Tornar-se Negro*. Rio de Janeiro: Graal, 1983.

YEMONJÁ, Mãe Beata de. *Caroço de Dendê:* a sabedoria dos terreiros. Rio de Janeiro: Pallas, 1987.

Impresso em setembro de 2020 na Edições Loyola, nas fontes Calisto MT e Bebas Neue, em Pólen Soft 80g no miolo e Ningbo 250g na capa.